Molière

Le Malade imaginaire

*Édition présentée, établie et annotée
par Georges Couton*

*« Le Malade imaginaire : spectacle et comédie »,
dossier pédagogique
par Julien Ledda*

Gallimard

PRÉFACE

Le Malade imaginaire *était d'abord destiné au divertissement du roi. La comédie à proprement parler est ainsi l'élément central, et organisateur, d'un spectacle qui unit chant, musique et danse à la comédie. Avant la pièce un prologue, entre les actes des intermèdes, un intermède final composent un ensemble tout à fait analogue à celui du* Bourgeois gentilhomme.

La structure intérieure de la pièce ressemble beaucoup aussi à celle du Bourgeois gentilhomme. *Par la faute d'un père maniaque, une fille risque de devenir une mal-mariée. Le dénouement amènera ce mariage d'amour qui soulage les âmes sensibles. Quant au maniaque, au Malade, il restera lui-même. Molière est arrivé, sans doute de bonne heure, mais à la fin de sa vie plus clairement que jamais, à l'idée qu'on ne guérit point les malades du corps, mais pas davantage les maniaques ; on les*

*subit, on s'en accommode ; au mieux on en rit.
La pièce se termine ainsi comme* Le Bourgeois
gentilhomme *par une intronisation burlesque
qui laisse Argan épanoui, dans l'euphorie de
la manie comblée. Ainsi tout est pour le moins
mal, dans le moins mauvais des mondes possibles.*

Les sources

*On n'a pratiquement pas relevé de sources
pour* Le Malade imaginaire. *Que Molière ait mis
en œuvre une documentation, et qu'il ait été
aidé pour la réussir, c'est autre chose. Mauvillain[1] l'aurait aidé. C'est très vraisemblable.
La pertinence des descriptions cliniques dans*
L'Amour médecin, *dans* Monsieur de Pourceaugnac, *la connaissance des us, coutumes,
règlements de la Faculté de médecine établissent à notre sens que Molière bénéficiait des
conseils d'un homme de l'art. Ajoutons qu'il
savait voir, qu'il s'était pourvu d'une culture
médicale, bien malgré lui : un malade intelli-
gent, pourvu d'esprit critique, désabusé par
l'insuccès des cures, devient nécessairement*

---

1. Armand de Mauvillain, ami intime et probablement médecin de Molière.

un autodidacte[1] *de la médecine. Cela n'est pas sans dangers. Une autre tradition veut que l'intermède final du* Malade imaginaire *en latin macaronique ait été «fourni» par Boileau. Disons qu'il a pu y collaborer.*

Que Molière soit l'«original» du Malade, comme l'a dit Grimarest[2], *est largement vrai. La pièce est nourrie de son expérience de malade.*

Le personnage d'Argan

Pièce singulièrement amère, malgré, peut-être à cause, de la gaieté qui, par moments, l'emporte. Au centre Argan, bourré de médecines et de lavements ; sa vie est scandée par des trottinements précipités, bâton à la main, de son fauteuil à sa «chaise d'affaires» située dans la garde-robe. De là, un comique, pas trop délicat, mais d'efficacité éprouvée et qui, après tout, est dans la nature. À ce même comique des fonctions basses de l'organisme appartiennent les noms, à évocations malodorantes,

1. Molière a sans doute lu les *Aphorismes* d'Hippocrate. Un insistant jeu de rimes en -ie serait à l'origine de la malédiction de M. Purgon (voir acte III, sc. v).
2. Grimarest (1659-1713) est l'auteur de *La Vie de M. de Molière* (1705).

des médecins et apothicaires : MM. Purgon,
Diafoirus, Fleurant.

    Si Argan n'était que ridicule ! Mais sa pas-
sion est une forme désespérée de la terreur de la
mort ; elle va donc jusqu'aux extrémités les plus
odieuses de l'égoïsme. La cruelle découverte
des moralistes du XVIIe siècle, et de Molière, est
que l'homme est mené par l'« amour-propre »,
l'« amour de soi est de toutes choses pour
soi » ; l'amour-propre nie aux autres le droit
à une existence indépendante et en fait des
objets : objets, leurs filles ou leurs fils, pour
Orgon, pour Harpagnon, pour M. Jourdain,
pour Argan. Mais de tous, c'est Argan qui
s'exprime avec le plus d'inconsciente féro-
cité : « Comment puis-je faire, s'il vous plaît,
pour lui donner mon bien, et en frustrer mes
enfants[1] ? » Si encore Argan aimait Béline !
L'amour sénile serait une circonstance atté-
nuante ; mais il n'aime pas Béline, il aime une
garde-malade complaisante ; il aime sa mala-
die, sa faiblesse ; il s'aime.

---

1. Acte I, sc. VII.

Les personnages parasites

De la folie d'Argan vivent des parasites. Béline, sa seconde femme, veuve sans doute déjà de plusieurs maris ; peut-être même s'est-elle fait une spécialité d'amener au legs en sa faveur, puis au tombeau, des maris cacochymes ; ces femmes qui « courent sans scrupule de mari en mari, pour s'approprier leurs dépouilles », dit rudement Angélique[1].

Dans l'orbite de Béline apparaît un personnage épisodique, digne d'intérêt néanmoins, son notaire, M. de Bonnefoy. Tartuffe enseignait à Orgon, et tâchait d'apprendre à Elmire, comment tourner les commandements de Dieu et commettre en sûreté de conscience les péchés plaisants ou commodes. M. de Bonnefoy enseigne à Argan comment tourner les lois humaines par des artifices juridiques. Une casuistique du droit fait pendant à une casuistique de la théologie morale. Molière flétrit également tous ces casuistes, de façon aussi simple qu'efficace : en les laissant s'exprimer. Ils le font avec une satisfaction d'homme de métier, qui ne s'interroge pas sur les fins morales de sa technique. Par M. de Bonnefoy,

1. Acte II, sc. VI.

Le Malade imaginaire *prend place dans le cycle de l'hypocrisie.*

MM. Diafoirus père et fils, et M. Fleurant sont des fantoches très mécanisés, répondant tellement bien à la définition bergsonienne du rire, « du mécanique plaqué sur du vivant », *qu'ils restent très inquiétants, médicalement parlant, mais modérément odieux ; moins odieux en tout cas que ce Tartuffe de la méde-cine qu'était M. Filerin, de* L'Amour *médecin. Ils croient au moins à leur métier. M. Purgon est « un homme tout médecin depuis la tête jus-qu'aux pieds ; un homme qui croit à ses règles ». « Il ne lui faut point vouloir mal de tout ce qu'il pourra vous faire : c'est de la meilleure foi du monde qu'il vous expédiera, et il ne fera, en vous tuant, que ce qu'il a fait à sa femme et à ses enfants, et ce qu'en un besoin il ferait à lui-même*[1]. *» Qu'il soit beaucoup par-donné à M. Purgon pour avoir tué sa femme et ses enfants ! Reste que* Le Malade imaginaire *est plus la satire de la médecine,* L'Amour médecin *plus la satire* de *médecins, et peut-être* des *médecins.*

---

1. Acte III, sc. III.

Une satire de la médecine

*Cette médecine, Molière la montre livresque, incapable de curiosité intellectuelle, incapable de progrès. La médecine du XVIIᵉ siècle a connu de violentes batailles ; l'une d'elles se termine, à propos de la circulation du sang. La découverte d'Harvey est déjà ancienne (1615). Mais il reste des irréductibles : une thèse est encore soutenue à Paris en 1672 contre les « circulateurs ». Boileau, aidé de Racine et de Bernier, a composé en 1671 un jugement parodique destiné à ridiculiser tout ce qui dans le monde intellectuel était conservateur : L'*Arrêt burlesque*[1]. L'*Arrêt « fait défense au sang d'être plus vagabond, errer ni circuler dans le corps, sous peine d'être entièrement livré et abandonné à la Faculté de médecine ». Naturellement, les Diafoirus sont anticirculationnistes. Comme Boileau, comme François Bernier, qui était médecin, Molière pousse un cri d'alarme : la médecine s'enlise dans le verbalisme.*

Molière va plus loin ; il pousse jusqu'à la

---

1. François Bernier (1620-1688) était un médecin qui, après avoir voyagé en Orient, publia ses Mémoires qui le mirent à la mode : surnommé Bernier-Mogol, il fréquenta Boileau, Racine et Molière. Voir L'*Arrêt burlesque* dans Boileau, *Œuvres complètes*, Bibl. de la Pléiade, p. 325 et suiv.

*négation de la médecine. Cette négation vient
d'abord de son expérience. Elle a aussi des
résonances de Montaigne. Je croirais volontiers de plus que Molière a lu Corneille
Agrippa (1486-1534), qui se livre contre les
médecins, contre les opérateurs, contre les
apothicaires aussi, à une charge à fond dans
ses* Paradoxes sur l'incertitude, vanité et abus
des sciences, *qui, traduits par L. de Mayerne-
Turquet, sont souvent édités, clandestine-
ment semble-t-il, au début du* xviie *siècle
(1603, 1608, 1617, 1623, 1630).*

*On se demande si la médecine est un art, ou
une science. Molière a sa réponse, et c'est la
cérémonie burlesque finale qui la donne : la
cérémonie est le prolongement inséparable de
la pièce, le prolongement aussi de la pensée.
Elle montre, d'une façon qui pour être déri-
soire n'en reste pas moins ferme, que la médecine n'est pas un ensemble de connaissances
qui s'acquièrent et qui se conquièrent, mais
un ensemble de rites, qui entourent et sacrali-
sent quelques recettes sommaires :* clysterium
donare, postea seignare, ensuitta purgare. *À
ces actes médicaux très élémentaires, un céré-
monial, une liturgie donnent leur prestige.
Bref, la médecine est une magie. Le médecin
est un exorciste, mais aussi bien un envoûteur.
M. Purgon abandonnant son malade à la série*

des maladies en -ie, lesquelles aboutiront à la « privation de la vie », ne formule pas tant un pronostic qu'il fulmine un anathème et jette un mauvais sort.

La médecine est une magie ; oui, mais une magie exploitée par un corps qui se défend âprement contre les intrusions des praticiens étrangers comme contre celle des idées nouvelles. Le corps protège son unité de pensée et d'action : il faut être toujours, dans les consultations, de l'avis des anciens, ne se servir que des remèdes de la docte Faculté, le malade dût-il en crever. Knock dira de même : au-dessus de l'intérêt du malade, au-dessus de l'intérêt du médecin, il y a l'intérêt de la Médecine.

Une entité donc, autour de laquelle est aggloméré un corps d'individus, qui la servent et qui s'en servent ; bref une « cabale », comme celle dans laquelle entre Dom Juan pour couler doucement sa vie, comme les faux dévots. Il apparaît bien que Molière, foncièrement individualiste, avait peur des corps constitués, qui tournent si aisément à la cabale.

Reste au lecteur de Molière à s'interroger, avant de rire des dix clystères mensuels d'Argan : quels traitements contemporains se contentent de dix piqûres par mois de tel antibiotique ou de telle vitamine ? Sans doute faut-il demander à l'écrivain comique et au *malade autre chose que la justice et l'impartialité.*

Le Malade imaginaire, *comme* Monsieur de Pourceaugnac, *ou* L'Amour médecin *comme aussi bien le cruel* Élomire Hypocondre *de son ennemi Le Boulanger de Chalussay[1], témoigne de la misère physiologique d'un homme cruellement surmené et qui se refusait tout repos. Le médecin Jean Bernier n'a pas tort d'écrire que Molière eût dû moins « échauffer son imagination et sa petite poitrine », « bien ménager l'auteur et l'acteur »[2]. Cruellement malade, il s'est senti abandonné ; Le Malade imaginaire est ainsi la protestation de l'intelligence et du corps contre la destruction implacable par la maladie, contre l'impuissance des hommes, contre l'exploitation que font certains de la misérable condition humaine.*

La musique en question

La pièce prévue pour le divertissement du roi eut un autre destin et Louis XIV n'a jamais vu Molière dans le rôle d'Argan. Un événe-

---

1. Voir la Chronologie en 1670.
2. Jean Bernier, *Essais de médecine*, 1689, Mongrédien, t. II, p. 633.

ment d'importance s'était produit dans le monde théâtral ; sa rupture avec Lully, avec qui Molière collaborait assidûment depuis huit ans, et qui avait fait la musique de ses comédies depuis La Princesse d'Élide, qui avait joué dans un intermède de Monsieur de Pourceaugnac et tenu le rôle du Mufli dans Le Bourgeois gentilhomme, devant le roi, avec le plus grand succès.

Lully, qui était ambitieux, intrigant et se sentait indispensable aux plaisirs du roi, tentait alors — et il y réussit très largement — d'ériger à son profit en monopole la musique et le ballet. L'opération se fit en trois temps. En mars 1672, des lettres patentes lui attribuaient le droit d'établir une Académie royale de musique, et interdisaient de faire chanter une pièce entière sans sa permission. En avril, une ordonnance signifiait la défense aux troupes de comédiens de se servir de plus de six « musiciens » (entendez : chanteurs) et de plus de douze joueurs d'instruments. Il était d'autre part interdit d'employer les chanteurs et musiciens engagés par Lully. En septembre, un privilège lui accordait le droit exclusif de faire imprimer les airs de musique qui seraient composés par lui ainsi que les vers, paroles, sujets, desseins et ouvrages sur lesquels les airs auraient été faits. Il semble

même qu'à ce privilège Lully ait tenté de don-
ner un caractère rétroactif.

Dans ces conditions, Lully, s'il eût fait la
musique du Malade imaginaire, *serait devenu*
le propriétaire unique des vers, des paroles,
du sujet : de toute la pièce. On comprend que
dès lors Molière ait cherché un autre musi-
cien, qui fut Charpentier. On comprend aussi
que Lully ait eu le crédit d'empêcher que la
première fût donnée à la cour. Les Parisiens
eurent ainsi la primeur du Malade imaginaire
le 10 février 1673, au théâtre du Palais-Royal.

Une pièce coûteuse

L'histoire extérieure du Malade imaginaire
commence avec des discussions d'argent. Elle
restera jusqu'au bout discussion d'argent : le
théâtre est dès le XVIIe siècle aussi un show-
business.

Les recettes du Malade imaginaire *attestaient*
le succès, la presse également. À la quatrième
représentation (17 février 1673), Molière vomit
du sang en récitant les vers :

Grandes doctores doctrinae
De la rhubarbe et du séné[1]

---

1. Troisième intermède.

ou, autre version, en disant juro *il fut pris d'une convulsion. Il fut transporté chez lui et y mourut le soir même à dix heures.*

Le 24 février 1673 le théâtre rouvrait avec Le Misanthrope. *Le 3 mars* Le Malade imaginaire *est joué de nouveau. La Thorillière avait repris le rôle d'Argan que Molière avait créé. La pièce devait rester l'un des grands succès du répertoire comique.*

Un programme de la pièce avait été établi. Ce *Livret* contenait le Prologue et les intermèdes. Le Prologue faisait appel à des personnages nombreux : huit chanteurs, des danseurs et des musiciens en nombre indéterminé. Il semble bien que l'ordonnance d'avril 1672 n'avait pas été rigoureusement respectée : Lully avait-il fermé les yeux, ou bien une transaction était-elle intervenue ? On ne sait. Il est certain en tout cas que c'est bien ce prologue qui a été joué lors de la création. La preuve ? Les frais considérables engagés pour monter la pièce. « Les faits [...] ont été grands, à cause du prologue et des intermèdes remplis de danses, musique et ustensiles et se sont montés à 2 400 livres », écrit La Grange dans son Registre. À quoi il faut ajouter les frais quotidiens. « Les frais journaliers ont été grands à cause de douze violons à 3 l., douze *danseurs à 5 l. 10 s., récompenses à MM. Beauchamp pour le ballet, à M. Charpentier pour la musique ; une part à M. Baraillon pour les habits. Ainsi, les frais se sont montés par jour à deux cent cinquante livres. »* On voit que le spectacle était somptueux, mais lourd pour le budget de la troupe.

Le 24 mars 1673 — Molière était mort depuis trente-cinq jours seulement et Le Malade *n'avait eu que quelques représentations — était imprimé à Rouen un petit livre,* Receptio publica unius juvenis medici in Academia burlesca Johannis Baptistae Molière, Doctoris comici. Editio deuxième, revisa et de beaucoup augmentate, super manuscriptos trovatos post suam mortem. *C'était une version de la cérémonie de doctorification d'Argan, plus développée que la version de Molière. Œuvre très probablement de quelque libraire, assisté de quelque nouvelliste qui a saisi l'occasion d'une bonne affaire.*

Le Malade après Molière

La mort de Molière a désorganisé sa troupe et provoqué une remise en ordre des théâtres parisiens. Après le relâche de Pâques, La Thorillière, Baron, Beauval et sa femme quittent la

*troupe. La salle du Palais-Royal est attribuée
à Lully. Plus de troupe, plus de salle. En juin,
une ordonnance royale supprime la troupe du
Marais, établit celle de Molière rue Guénégaud. Les comédiens de l'Hôtel Guénégaud,
dont la veuve de Molière et La Grange, s'ad-
joignent quelques comédiens du ci-devant
Marais. Ils rouvrent avec* Le Tartuffe *(9 juillet
1673) et reprennent les unes après les autres à
peu près toutes les pièces de Molière.*

*La troupe se bat vaillamment depuis la dis-
parition de Molière ; mais elle est appauvrie.
D'autre part, Lully est plus fort depuis la mort
de Molière qui disposait d'une audience certaine auprès du roi. Il poursuit donc son
offensive ; le 30 avril 1673, il obtient une
ordonnance qui défend aux comédiens d'avoir
plus de deux chanteurs et six violons. Le somptueux Prologue de 1673 est impossible avec
ces nouvelles dispositions ; de surcroît, il coû-
tait cher à monter. Un prologue nouveau lui
est substitué, qui peut se contenter des deux
chanteurs autorisés. « L'ouverture du théâtre
se fait par un bruit agréable d'instruments.
Ensuite une Bergère vient se plaindre », plusieurs faunes et œgipans la rencontrent et
« écoutent ses plaintes » : le savoir des médecins ne peut la guérir. Sur quoi, « le théâtre
change et représente une chambre » dans*

laquelle se joue la comédie du Malade imaginaire.

*Pour cette présentation simplifiée, il fallait
une nouvelle musique. Charpentier la composa
aussi. Les frais, réduits, sont connus par le*
Registre de La Grange : *85 livres seulement par
jour, au lieu de 250. Les violons ne sont payés
que 16 livres 10 sols ; ce qui permet de penser
qu'ils ne sont que cinq ou six; les « musiciens », c'est-à-dire les chanteurs, reçoivent
17 livres.*

*Il fallut aussi imprimer un nouveau livret :
il contient le Prologue nouveau et, comme
premier intermède, donne pour la première
fois les couplets de la Vieille et de Polichinelle.*

*La première représentation sous cette nou-
velle forme fut donnée le 4 mai 1674.*

*Le 14 mai 1674, tandis qu'à l'Hôtel Guéné-
gaud où étaient installés les anciens compa-
gnons de Molière se donnait une série de
représentations du* Malade imaginaire *(4 mai
au 4 novembre), les comédiens italiens jouaient
pour la première fois une comédie en trois
actes,* Le Triomphe de la médecine. *« Le fond
du sujet de cette comédie est une copie du*
Malade imaginaire. *Scaramouche, riche bourgeois, se croit indisposé, et il est perpétuelle-
ment visité par son médecin, son chirurgien et*

son apothicaire, dont il s'imagine ne pouvoir se passer. Cinthio, amant d'Aurelia, fille de Scaramouche, de concert avec elle emploie divers stratagèmes pour la voir et enfin, profitant de la faiblesse d'esprit du père, que l'on feint de recevoir docteur en médecine, ces amants obtiennent son consentement pour leur mariage. La fin de cette pièce est à peu près celle du Malade imaginaire, *mais on y a ajouté la cérémonie de la bastonnade qui est prise au* Bourgeois gentilhomme[1]. »

Molière était partout à la mode : l'Hôtel de Bourgogne jouait alors L'Ombre de Molière *du comédien Brécourt (mars 1674).*

Le moment le plus éclatant de cette mode se situa le 18 juillet 1674, lorsque Le Malade imaginaire *fut donné dans le cadre pour lequel il avait été conçu d'abord, ou dans un cadre analogue devant la grotte de Versailles. Triomphe posthume.*

GEORGES COUTON

---

1. Frère Parfaict, *Histoire de l'ancien théâtre italien*, 1767, p. 436-446.

Le Malade imaginaire

COMÉDIE

mêlée de musique et de danses

Corrigée, sur l'original de l'auteur,
de toutes les fausses additions
et suppositions de scènes entières,
faites dans les éditions précédentes.

Représentée pour la première fois,
sur le Théâtre de la salle du Palais-Royal
le 10 février 1673
par la Troupe du Roi.

LE PROLOGUE[1]

Après les glorieuses fatigues et les exploits
victorieux[2] de notre auguste monarque, il est
bien juste que tous ceux qui se mêlent d'écrire
travaillent ou à ses louanges, ou à son divertissement. C'est ce qu'ici l'on a voulu faire, et   5
ce prologue est un essai des louanges de ce
grand prince, qui donne entrée à la comédie du
Malade imaginaire, dont le projet a été fait
pour le délasser de ses nobles travaux.

La décoration représente un lieux cham-   10
pêtre fort agréable.

---

1. Sur ce Prologue de 1673, voir la note sur les premières
éditions, p. 266-270.
2. Les exploits victorieux de la campagne de 1672 contre la
Hollande étaient notamment la prise de Maestricht et le passage
du Rhin, qui avait donné lieu à un déferlement de littérature
louangeuse.

ÉGLOGUE[1]

EN MUSIQUE ET EN DANSE

FLORE, PAN, CLIMÈNE, DAPHNÉ, TIRCIS,
DORILAS, DEUX ZÉPHIRS,
TROUPE DE BERGÈRES ET DE BERGERS[2]

FLORE

Quittez, quittez vos troupeaux,
Venez, Bergers, venez, Bergères,
Accourez, accourez sous ces tendres ormeaux :
Je viens vous annoncer des nouvelles bien
                                [chères,
5   *Et réjouir tous ces hameaux.*
    Quittez, quittez vos troupeaux,
    Venez, Bergers, venez, Bergères,
Accourez, accourez sous ces tendres ormeaux.

CLIMÈNE ET DAPHNÉ

Berger, laissons là tes feux,
10   *Voilà Flore qui nous appelle.*

---

1. *Églogue* : courte pièce pastorale.
2. Personnages de la mythologie grecque : Flore fait fleurir les arbres ; Pan est dieu des bergers et des troupeaux ; Climène et Daphné (qui signifie « laurier ») sont des nymphes ; Tircis est l'un des bergers de Virgile. Les Zéphirs sont des demi-dieux, personnifications du Vent venu de l'Ouest.

TIRCIS ET DORILAS

Mais au moins dis-moi, cruelle,

TIRCIS

Si d'un peu d'amitié tu payeras mes vœux ?

DORILAS

Si tu seras sensible à mon ardeur fidèle ?

CLIMÈNE ET DAPHNÉ

Voilà Flore qui nous appelle.

TIRCIS ET DORILAS

Ce n'est qu'un mot, un mot, un seul mot que je 5
[veux.

TIRCIS

Languirai-je toujours dans ma peine
[mortelle ?

DORILAS

Puis-je espérer qu'un jour tu me rendras
[heureux ?

CLIMÈNE ET DAPHNÉ

Voilà Flore qui nous appelle.

ENTRÉE DE BALLET

Toute la troupe des Bergers et des Bergères va se placer en cadence autour de Flore.

CLIMÈNE

Quelle nouvelle parmi nous,
Déesse, doit jeter tant de réjouissance ?

DAPHNÉ

Nous brûlons d'apprendre de vous
Cette nouvelle d'importance.

DORILAS

D'ardeur nous en soupirons tous.

TOUS

Nous en mourrons d'impatience.

FLORE

La voici : silence, silence !
Vos vœux sont exaucés, LOUIS est de retour[1].
Il ramène en ces lieux les plaisirs et l'amour,
Et vous voyez finir vos mortelles alarmes.
Par ses vastes exploits son bras voit tout
                                    [*soumis :*

---

1. Ce vers atteste que la pièce était prévue pour les divertissements de la cour au retour de la campagne de 1672.

> *Il quitte les armes,*
> *Faute d'ennemis.*

TOUS

> *Ah ! quelle douce nouvelle !*
> *Qu'elle est grande ! qu'elle est belle !*
> *Que de plaisirs ! que de ris ! que de jeux !*　　5
> *Que de succès heureux !*
> *Et que le Ciel a bien rempli nos vœux !*
> *Ah ! quelle douce nouvelle !*
> *Qu'elle est grande, qu'elle est belle !*

ENTRÉE DE BALLET

Tous les Bergers et Bergères expriment par des danses les transports de leur joie.

FLORE

> *De vos flûtes bocagères*　　10
> *Réveillez les plus beaux sons :*
> *LOUIS offre à vos chansons*
> *La plus belle des matières.*
> *Après cent combats,*
> *Où cueille son bras,*　　15
> *Une ample victoire,*
> *Formez entre vous*
> *Cent combats plus doux,*
> *Pour chanter sa gloire.*

TOUS

Formons entre nous
Cent combats plus doux,
pour chanter sa gloire.

FLORE

Mon jeune amant, dans ce bois
Des présents de mon empire
Prépare un prix à la voix
Qui saura le mieux nous dire
Les vertus et les exploits
Du plus auguste des rois.

CLIMÈNE

Si Tircis a l'avantage,

DAPHNÉ

Si Dorilas est vainqueur,

CLIMÈNE

À le chérir je m'engage.

DAPHNÉ

Je me donne à son ardeur.

TIRCIS

Ô trop chère espérance !

DORILAS

Ô mot plein de douceur !

TOUS DEUX

Plus beau sujet, plus belle récompense
Peuvent-ils animer un cœur ?

Les violons jouent un air pour animer les deux Bergers au combat, tandis que Flore, comme juge, va se placer au pied de l'arbre, avec deux Zéphirs, et que le reste, comme spectateurs, va occuper les deux coins du théâtre.

TIRCIS

Quand la neige fondue enfle un torrent fameux,
Contre l'effort soudain de ses flots écumeux   5
  Il n'est rien d'assez solide ;
    Digues, châteaux, villes, et bois,
    Hommes et troupeaux à la fois,
    Tout cède au courant qui le guide :
    Tel, et plus fier, et plus rapide,   10
    Marche LOUIS *dans ses exploits.*

BALLET

Les Bergers et Bergères de son côté dansent autour de lui, sur une ritournelle[1], pour exprimer leurs applaudissements.

DORILAS

Le[2] foudre menaçant, qui perce avec fureur
L'affreuse obscurité de la nue enflammée,
    Fait d'épouvante et d'horreur
    Trembler le plus ferme cœur :
    Mais à la tête d'une armée
    LOUIS jette plus de terreur.

BALLET

Les Bergers et Bergères de son côté font de même que les autres.

TIRCIS

Des fabuleux exploits que la Grèce a chantés,
Par un brillant amas de belles vérités
    Nous voyons la gloire effacée,

---

1. « *Ritournelle* : reprise qu'on fait des premiers vers d'une chanson » (Furetière, *Dictionnaire universel*, 1690).
2. Au XVIIᵉ siècle, le masculin et le féminin s'employaient indifféremment.

Et tous ces fameux demi-dieux
Que vante l'histoire passée
Ne sont point à notre pensée
Ce que LOUIS *est à nos yeux.*

BALLET

Les Bergers et Bergères de son côté font
encore la même chose.

DORILAS

LOUIS *fait à nos temps, par ses faits inouïs,*   5
Croire tous les beaux faits que nous chante
　　　　　　　　　[*l'histoire*
　　　　Des siècles évanouis :
　　　　Mais nos neveux, dans leur gloire,
　　　　N'auront rien qui fasse croire
　　　　Tous les beaux faits de LOUIS.   10

BALLET

Les [Bergers et] Bergères de son côté font
encore de même, après quoi les deux partis se
mêlent.

PAN, *suivi de six Faunes*[1]

Laissez, laissez, Bergers, ce dessein téméraire.
Hé ! que voulez-vous faire ?
Chanter sur vos chalumeaux
Ce qu'Apollon sur sa lyre,
5   *Avec ses chants les plus beaux,*
N'entreprendrait pas de dire,
C'est donner trop d'essor au feu qui vous
[*inspire,*
C'est monter vers les cieux sur des ailes de cire[2],
Pour tomber dans le fond des eaux.
10   *Pour chanter de* LOUIS *l'intrépide courage,*
Il n'est point d'assez docte voix,
Points de mots assez grands pour en tracer
[*l'image :*
Le silence est le langage
Qui doit louer ses exploits.
15 *Consacrez d'autres soins à sa pleine victoire ;*
Vos louanges n'ont rien qui flatte ses désirs ;
Laissez, laissez là sa gloire,
Ne songez qu'à ses plaisirs.

1. Les Faunes sont des divinités champêtres chez les Romains.
2. Ainsi fit Icare qui, s'enfuyant du labyrinthe où il avait été
enfermé grâce à des ailes fixées à ses épaules avec de la cire,
monta trop haut dans le ciel, par orgueil et malgré les recom-
mandations de son père Dédale. S'approchant trop près du
soleil, il fit fondre la cire et fut précipité dans la mer. Mais la
mésaventure d'Icare était, selon Horace (*Odes*, IV, II), celle des
poètes ambitieux émules de Pindare.

TOUS

Laissons, laissons là sa gloire,
Ne songeons qu'à ses plaisirs.

FLORE

Bien que, pour étaler ses vertus immortelles,
La force manque à vos esprits,
Ne laissez pas tous deux de recevoir le prix :
Dans les choses grandes et belles
Il suffit d'avoir entrepris[1].

ENTRÉE DE BALLET

Les deux Zéphirs dansent avec deux cou-
ronnes de fleurs à la main, qu'ils viennent
donner ensuite aux deux Bergers.

CLIMÈNE ET DAPHNÉ, *en leur donnant*
la main

Dans les choses grandes et belles
Il suffit d'avoir entrepris.

---

1. Après un souvenir d'Horace, une imitation ou une rémi-
niscence de Properce (II, x, 6). Il se pourrait bien au reste que
Molière traitât un lieu commun dont il avait oublié l'origine.

TIRCIS ET DORILAS

Ha ! que d'un doux succès notre audace est
　　　　　　　　　　　　[suivie !

FLORE ET PAN

Ce qu'on fait pour LOUIS, *on ne le perd*
　　　　　　　　　　　　[jamais.

LES QUATRE AMANTS

Au soin de ses plaisirs donnons-nous
　　　　　　　　　　　　[désormais.

FLORE ET PAN

Heureux, heureux qui peut lui consacrer sa
　　　　　　　　　　　　　[vie !

TOUS

5　　　*Joignons tous dans ces bois*
　　　　　Nos flûtes et nos voix,
　　　　　Ce jour nous y convie ;
　Et faisons aux échos redire mille fois :
　　　　« LOUIS est le plus grand des rois ;
10　*Heureux, heureux qui peut lui consacrer sa*
　　　　　　　　　　　　　[vie ! »

DERNIÈRE ET GRANDE ENTRÉE
DE BALLET

Faunes, Bergers et Bergères, tous se mêlent, et il se fait entre eux des jeux de danse, après quoi ils se vont séparer pour la Comédie.

AUTRE PROLOGUE[1]

Le théâtre représente une forêt.

L'ouverture du théâtre se fait par un bruit agréable d'instruments. Ensuite une Bergère vient se plaindre tendrement de ce qu'elle ne trouve aucun remède pour soulager les peines qu'elle endure. Plusieurs Faunes et Ægipans, assemblés pour des fêtes et des jeux qui leur sont particuliers, rencontrent la Bergère. Ils écoutent ses plaintes et forment un spectacle très divertissant.

PLAINTE DE LA BERGÈRE

Votre plus haut savoir n'est que pure chimère,
Vains et peu sages médecins ;
Vous ne pouvez guérir par vos grands mots
                                        [latins

1. Sur ce second Prologue de 1674, voir la note sur les premières éditions, p. 266-270.

La douleur qui me désespère :
Votre plus haut savoir n'est que pure chimère.

Hélas ! je n'ose découvrir
Mon amoureux martyre
Au berger pour qui je soupire,   5
Et qui seul peut me secourir.
Ne prétendez pas le fuir,
Ignorants médecins, vous ne sauriez le faire :
Votre plus haut savoir n'est que pure chimère.

Ces remèdes peu sûrs dont le simple vulgaire   10
Croit que vous connaissez l'admirable vertu,
Pour les maux que je sens n'ont rien de
                              [salutaire ;
Et tout votre caquet[1] ne peut être reçu
Que d'un Malade imaginaire.
Votre plus haut savoir n'est que pure chimère,   15
Vains et peu sages médecins ;
Vous ne pouvez guérir par vos grands mots
                              [latins
La douleur qui me désespère ;
Votre plus haut savoir n'est que pure chimère.

Le théâtre change et représente une
chambre.

1. *Caquet* : bavardage importun.

ACTEURS[1]

ARGAN, malade imaginaire.

BÉLINE, seconde femme d'Argan.

ANGÉLIQUE, fille d'Argan, et amante de Cléante.

LOUISON, petite-fille d'Argan, et sœur d'Angélique.

BÉRALDE, frère d'Argan.

CLÉANTE, amant d'Angélique.

MONSIEUR DIAFOIRUS, médecin.

THOMAS DIAFOIRUS, son fils, et amant d'Angélique.

MONSIEUR PURGON, médecin d'Argan.

MONSIEUR FLEURANT, apothicaire.

MONSIEUR BONNEFOY, notaire.

TOINETTE, servante.

La scène est à Paris.

1. Voir la note sur les personnages, le décor est les costumes de la pièce, p. 264-265.

ACTE PREMIER

SCÈNE PREMIÈRE

ARGAN, *seul dans sa chambre assis,
une table devant lui, compte des
parties*[1] *d'apothicaire avec des
jetons*[2], *il fait, parlant à lui-même,
les dialogues suivants*

Trois et deux font cinq, et cinq font dix, et
dix font vingt. Trois et deux font cinq. « Plus,

---

1. « *Parties* : un mémoire [écrit détaillé de sommes dues] de
plusieurs fournitures faites par des marchands ou ouvriers. Proverbialement : des parties d'apothicaires sont des mémoires de
frais ou de fournitures dont il faut retrancher la moitié pour les
payer raisonnablement » (Furetière au mot *apothicaire*).
2. Argan a devant lui un registre, un sac de jetons et une
planchette avec trois lignes. Sur la ligne du bas, les jetons qui
représentent les demi-sous (six deniers). Sur la ligne du centre
les jetons représentant les sous, divisés en trois tas : sous, cinq
sous, dix sous. Sur la ligne du haut les livres, en quatre tas :
livres, cinq livres, dix livres, vingt livres. Quand il arrive à cinq
sous, il supprime du casier des sous les cinq jetons et les rem-

du vingt-quatrième[1], un petit clystère[2] insi-
nuatif, préparatif, et rémollient, pour amollir,
humecter, et rafraîchir les entrailles de Monsieur. » Ce qui me plaît de Monsieur Fleurant,
5   mon apothicaire, c'est que ses parties sont toujours fort civiles : « les entrailles de Monsieur,
trente sols ». Oui, mais, Monsieur Fleurant, ce
n'est pas tout que d'être civil, il faut être aussi
raisonnable, et ne pas écorcher les malades.
10 Trente sols un lavement : Je suis votre serviteur[3], je vous l'ai déjà dit. Vous ne me les avez

----

place par un jeton dans le tas des cinq sous ; quand il a deux
jetons à cinq sous, il les remplace par un jeton dans le casier
des dix sous, etc. Il semble que l'emploi des jetons était un procédé de compte de professionnel, pour des sommes impor-
tantes. On voit donc l'effet comique : comme si un malade de
nos jours employait une machine à calculer ou encore une
caisse enregistreuse de laquelle sortirait un interminable ruban
de chiffres.

1. Argan fait les comptes du mois. Le long calcul qu'entend
et voit le spectateur représente seulement le cinquième du calcul total. À lui de faire la multiplication nécessaire, qui donnera
des chiffres impressionnants.

2. « C'est un remède ou injection liquide qu'on introduit dans
les intestins par le fondement pour les rafraîchir, pour lâcher le
ventre, pour humecter ou amollir les matières, pour irriter la
faculté expultrice, dissiper les vents, aider à l'accouchement,
etc. On fait des clystères d'eau, de son, de lait, particulièrement
de décoction de certaines herbes. On y mêle du miel et autrefois, on y mettait du sucre rouge, quelquefois du catholicon
[voir note 2, p. 47] et autres drogues. Il y a des clystères remol-
litifs, carminatifs, lénitifs et astringents, laxatifs, anodins, etc. »
Cet article de Furetière fait voir l'importance du clystère dans la
thérapeutique du XVIIe siècle. Pour le malade imaginaire sont
utilisées toutes les ressources des clystères.

3. « *Serviteur* se dit proverbialement et ironiquement en cette

mis dans les autres parties qu'à vingt sols, et
vingt sols en langage d'apothicaire, c'est-à-
dire dix sols ; les voilà, dix sols. « Plus, dudit
jour, un bon clystère détersif[1], composé avec
catholicon[2] double, rhubarbe, miel rosat[3], et   5
autres, suivant l'ordonnance, pour balayer,
laver, et nettoyer le bas-ventre de Monsieur,
trente sols. » Avec votre permission, dix sols.
« Plus, dudit jour, le soir, un julep[4] hépatique,
soporatif, et somnifère, composé pour faire   10
dormir Monsieur, trente-cinq sols. » Je ne me
plains pas de celui-là, car il me fit bien dormir.
Dix, quinze, seize et dix-sept sols, six deniers.
« Plus, du vingt-cinquième, une bonne médecine purgative et corroborative, composée de   15
casse récente avec séné levantin[5], et autres,

phrase : Je suis votre serviteur, pour dire : je ne suis pas de votre
avis, je ne ferai pas ce que vous me proposez » (Furetière).
    1. *Détersif* : qui décape.
    2. *Catholicon* : « Terme de pharmacie. C'est un électuaire
[mélange de poudres et de miel], le premier des remèdes purga-
tifs. Il est composé de casse, de séné, de rhubarbe, de tamarin
[purgatifs], de polypode [fougère], et de plusieurs simples
[plantes médicinales] et semences, dont l'un purge la bile,
l'autre la mélancolie, l'autre la pituité [maladie gastrique], etc.,
ce qui l'a fait ainsi nommer parce qu'il est universel pour purger toutes les humeurs » (Furetière).
    3. Miel additionné de rose.
    4. *Julep* : sirop médicamenteux.
    5. La *casse* est purgative. — « Le vrai *séné* ne se trouve que
dans les bois d'Éthiopie. Les nègres le vont ramasser et en
portent de grands bateaux jusqu'au Caire […]. Les médecins
d'Europe l'emploient en toutes leurs purgations et tisanes »

suivant l'ordonnance de Monsieur Purgon,
pour expulser et évacuer la bile de Monsieur,
quatre livres.» Ah! Monsieur Fleurant, c'est
se moquer; il faut vivre avec les malades.
5   Monsieur Purgon ne vous a pas ordonné[1] de
mettre quatre francs. Mettez, mettez trois
livres, s'il vous plaît. Vingt et trente sols.
«Plus, dudit jour, une potion anodine et
astringente[2], pour faire reposer Monsieur,
10 trente sols.» Bon, dix et quinze sols. «Plus, du
vingt-sixième, un clystère carminatif[3], pour
chasser les vents de Monsieur, trente sols.»
Dix sols, Monsieur Fleurant. «Plus, le clystère
de Monsieur réitéré le soir, comme dessus,
15 trente sols.» Monsieur Fleurant, dix sols.
«Plus, du vingt-septième, une bonne médecine composée pour hâter d'aller[4], et chasser
dehors les mauvaises humeurs de Monsieur,
trois livres.» Bon, vingt et trente sols : je suis
20 bien aise que vous soyez raisonnable. «Plus,

(Furetière). — *Levantin* : originaire des pays de la Méditerranée
orientale.

1. Faut-il comprendre que l'apothicaire, M. Fleurant, travaille pour le compte du médecin ?...

2. «*Anodin* se dit des remèdes... sans violence, qui ôtent la
douleur» (Furetière). — *Astringente* : qui diminue la sécrétion.

3. «*Carminatif* se dit des remèdes qu'on applique aux
coliques et autres maladies flatteuses pour dissiper les vents. On
met de l'anis dans les lavements pour les rendre carminatifs»
(Furetière).

4. «On dit aller du ventre, aller à la selle, aller par haut et par
bas» (Furetière).

du vingt-huitième, une prise de petit-lait clari-
fié, et édulcoré, pour adoucir, lénifier[1], tempérer et rafraîchir le sang de Monsieur, vingt
sols. » Bon, dix sols. « Plus, une potion cordiale
et préservative, composée avec douze grains
de bézoard[2], sirops de limon[3] et grenade, et
autres, suivant l'ordonnance, cinq livres. » Ah !
Monsieur Fleurant, tout doux, s'il vous plaît ;
si vous en usez comme cela, on ne voudra plus
être malade : contentez-vous de quatre francs.
Vingt et quarante sols. Trois et deux font cinq,
et cinq font dix, et dix font vingt. Soixante et
trois livres, quatre sols, six deniers. Si bien
donc que ce mois j'ai pris une, deux, trois,
quatre, cinq, six, sept et huit médecines ; et un,
deux, trois, quatre, cinq, six, sept, huit, neuf,
dix, onze et douze lavements ; et l'autre mois
il y avait douze médecines, et vingt lavements.
Je ne m'étonne pas si je ne me porte pas si
bien ce mois-ci que l'autre. Je le dirai à Monsieur Purgon, afin qu'il mette ordre à cela.
Allons, qu'on m'ôte tout ceci. Il n'y a personne : j'ai beau dire, on me laisse toujours
seul ; il n'y a pas moyen de les arrêter ici. *(Il*

---

1. *Lénifier* : atténuer la douleur.
2. « Pierre médicinale qui est un excellent contrepoison. Se
trouve dans la fiente d'un bouc des Indes, de Golconde et de
Cananor, ou du Pérou… » (Furetière). « Grain en médecine, le
plus petit des poids » *(ibid.).*
3. Citron.

sonne une sonnette pour faire venir ses gens.)
Ils n'entendent point, et ma sonnette ne fait
pas assez de bruit. Drelin, drelin, drelin : point
d'affaire. Drelin, drelin, drelin : ils sont sourds.
5   Toinette ! Drelin, drelin, drelin : tout comme si
je ne sonnais point. Chienne, coquine ! Drelin,
drelin, drelin : j'enrage. *(Il ne sonne plus mais
il crie.)* Drelin, drelin, drelin : carogne[1], à tous
les diables ! Est-il possible qu'on laisse comme
10 cela un pauvre malade tout seul ? Drelin, drelin, drelin : voilà qui est pitoyable ! Drelin,
drelin, drelin : ah, mon Dieu ! ils me laisseront
ici mourir. Drelin, drelin, drelin.

SCÈNE II

TOINETTE, ARGAN

TOINETTE, *en entrant dans la chambre*

On y va.

ARGAN

15 Ah, chienne ! ah, carogne… !

---

1. *Carogne* : femme débauchée.

TOINETTE, *faisant semblant de s'être
cogné la tête*

Diantre soit fait de votre impatience ! vous
pressez si fort les personnes, que je me suis
donné un grand coup de la tête contre la carne[1]
d'un volet.

ARGAN, *en colère*

Ah ! traîtresse... !

TOINETTE, *pour l'interrompre
et l'empêcher de crier, se plaint
toujours en disant*

Ha !

ARGAN

Il y a...

TOINETTE

Ha !

ARGAN

Il y a une heure...

TOINETTE

Ha !

1. *Carne* : angle.

ARGAN

Tu m'as laissé…

TOINETTE

Ha !

ARGAN

Tais-toi donc, coquine, que je te querelle.

TOINETTE

Çamon[1], ma foi ! ma foi ! j'en suis d'avis,
5   après ce que je me suis fait.

ARGAN

Tu m'as fait égosiller, carogne.

TOINETTE

Et vous m'avez fait, vous, casser la tête :
l'un vaut bien l'autre ; quitte à quitte, si vous
voulez.

ARGAN

10   Quoi ? coquine…

TOINETTE

Si vous querellez, je pleurerai.

---

1. *Çamon* renforce une affirmation : Ah oui, vraiment !

ARGAN

Me laisser, traîtresse…

TOINETTE, *toujours
pour l'interrompre*

Ha !

ARGAN

Chienne, tu veux…

TOINETTE

Ha !

ARGAN

Quoi ? il faudra encore que je n'aie pas le   5
plaisir de la quereller.

TOINETTE

Querellez tout votre soûl, je le veux bien.

ARGAN

Tu m'en empêches, chienne, en m'inter-
rompant à tous coups.

TOINETTE

Si vous avez le plaisir de quereller, il faut   10
bien que, de mon côté, j'aie le plaisir de pleurer : chacun le sien, ce n'est pas trop. Ha !

ARGAN

Allons, il faut en passer par là. Ôte-moi ceci, coquine, ôte-moi ceci. *(Argan se lève de sa chaise.)* Mon lavement d'aujourd'hui a-t-il bien opéré ?

TOINETTE

5   Votre lavement ?

ARGAN

Oui. Ai-je bien fait de la bile ?

TOINETTE

Ma foi ! je ne me mêle point de ces affaires-là : c'est à Monsieur Fleurant à y mettre le nez, puisqu'il en a le profit.

ARGAN

10   Qu'on ait soin de me tenir un bouillon prêt, pour l'autre que je dois tantôt prendre.

TOINETTE

Ce Monsieur Fleurant-là et ce Monsieur Purgon s'égayent bien sur votre corps ; ils ont en vous une bonne vache à lait ; et je voudrais
15   bien leur demander quel mal vous avez, pour vous faire tant de remèdes.

ARGAN

Taisez-vous, ignorante, ce n'est pas à vous à contrôler les ordonnances de la médecine. Qu'on me fasse venir ma fille Angélique, j'ai à lui dire quelque chose.

TOINETTE

La voici qui vient d'elle-même : elle a 5
deviné votre pensée.

SCÈNE III

ANGÉLIQUE, TOINETTE, ARGAN

ARGAN

Approchez, Angélique ; vous venez à propos : je voulais vous parler.

ANGÉLIQUE

Me voilà prête à vous ouïr.

ARGAN, *courant au bassin*

Attendez. Donnez-moi mon bâton. Je vais 10
revenir tout à l'heure.

TOINETTE, *en le raillant*

Allez vite, Monsieur, allez. Monsieur Fleurant nous donne des affaires[1].

SCÈNE IV

ANGÉLIQUE, TOINETTE

ANGÉLIQUE, *la regardant d'un œil languissant, lui dit confidemment*

Toinette.

TOINETTE

Quoi ?

ANGÉLIQUE

5   Regarde-moi un peu.

TOINETTE

Hé bien ! je vous regarde.

ANGÉLIQUE

Toinette.

1. « On dit aller à ses affaires, faire ses affaires, pour aller à la garde-robe » (Furetière).

TOINETTE

Hé bien, quoi, Toinette?

ANGÉLIQUE

Ne devines-tu point de quoi je veux parler?

TOINETTE

Je m'en doute assez, de notre jeune amant;
car c'est sur lui, depuis six jours, que roulent
tous nos entretiens; et vous n'êtes point bien   5
si vous n'en parlez à toute heure.

ANGÉLIQUE

Puisque tu connais cela, que n'es-tu donc
la première à m'en entretenir, et que ne
m'épargnes-tu la peine de te jeter sur ce discours?   10

TOINETTE

Vous ne m'en donnez pas le temps, et vous
avez des soins là-dessus qu'il est difficile de
prévenir[1].

ANGÉLIQUE

Je t'avoue que je ne saurais me lasser de te
parler de lui, et que mon cœur profite avec   15

1. Il est difficile de devancer [*prévenir*] le soin que vous
avez de parler de votre jeune amant.

chaleur de tous les moments de s'ouvrir à toi. Mais dis-moi, condamnes-tu, Toinette, les sentiments que j'ai pour lui ?

TOINETTE

Je n'ai garde.

ANGÉLIQUE

5   Ai-je tort de m'abandonner à ces douces impressions ?

TOINETTE

Je ne dis pas cela.

ANGÉLIQUE

Et voudrais-tu que je fusse insensible aux tendres protestations de cette passion ardente
10 qu'il témoigne pour moi ?

TOINETTE

À Dieu ne plaise !

ANGÉLIQUE

Dis-moi un peu, ne trouves-tu pas, comme moi, quelque chose du Ciel, quelque effet du destin, dans l'aventure inopinée de notre
15 connaissance ?

TOINETTE

Oui.

ANGÉLIQUE

Ne trouves-tu pas que cette action d'em-
brasser ma défense sans me connaître est tout
à fait d'un honnête homme ?

TOINETTE

Oui.   5

ANGÉLIQUE

Que l'on ne peut pas en user plus généreu-
sement ?

TOINETTE

D'accord.

ANGÉLIQUE

Et qu'il fit tout cela de la meilleure grâce du
monde ?   10

TOINETTE

Oh ! oui.

ANGÉLIQUE

Ne trouves-tu pas, Toinette, qu'il est bien
fait de sa personne ?

TOINETTE

Assurément.

ANGÉLIQUE

Qu'il a l'air le meilleur du monde ?

TOINETTE

Sans doute.

ANGÉLIQUE

Que ses discours, comme ses actions, ont
5   quelque chose de noble ?

TOINETTE

Cela est sûr.

ANGÉLIQUE

Qu'on ne peut rien entendre de plus pas-
sionné que tout ce qu'il me dit ?

TOINETTE

Il est vrai.

ANGÉLIQUE

10   Et qu'il n'est rien de plus fâcheux que la
contrainte où l'on me tient, qui bouche[1] tout

1. «*Boucher* : fermer les passages» (Furetière). La surveil-

commerce aux doux empressements de cette
mutuelle ardeur que le Ciel nous inspire ?

TOINETTE

Vous avez raison.

ANGÉLIQUE

Mais, ma pauvre Toinette, crois-tu qu'il
m'aime autant qu'il me le dit ?   5

TOINETTE

Eh, eh ! ces choses-là, parfois, sont un peu
sujettes à caution. Les grimaces[1] d'amour res-
semblent fort à la vérité ; et j'ai vu de grands
comédiens là-dessus.

ANGÉLIQUE

Ah ! Toinette, que dis-tu là ? Hélas ! de la   10
façon qu'il parle, serait-il bien possible qu'il
ne me dît pas vrai ?

TOINETTE

En tout cas, vous en serez bientôt éclaircie ;
et la résolution où il vous écrivit hier qu'il était
de vous faire demander en mariage[2] est une   15

---

lance à laquelle est soumise Angélique empêche les entretiens
amoureux.
   1. *Grimace* : dissimulation, imposture, mensonge.
   2. Le quiproquo de la scène v est préparé par cette annonce.

prompte voie à vous faire connaître s'il vous dit vrai, ou non : c'en sera là la bonne preuve.

ANGÉLIQUE

Ah ! Toinette, si celui-là me trompe, je ne croirai de ma vie aucun homme.

TOINETTE

5   Voilà votre père qui revient.

SCÈNE V

ARGAN, ANGÉLIQUE, TOINETTE

ARGAN *se met dans sa chaise*

Ô çà, ma fille, je vais vous dire une nouvelle, où peut-être ne vous attendez-vous pas. On vous demande en mariage. Qu'est-ce que cela ? vous riez. Cela est plaisant, oui, ce mot
10   de mariage ; il n'y a rien de plus drôle pour les jeunes filles : ah ! nature, nature ! À ce que je puis voir, ma fille, je n'ai que faire de vous demander si vous voulez bien vous marier.

ANGÉLIQUE

Je dois faire, mon père, tout ce qu'il vous
15   plaira de m'ordonner.

ARGAN

Je suis bien d'aise d'avoir une fille si obéis-
sante. La chose est donc conclue, et je vous ai
promise.

ANGÉLIQUE

C'est à moi, mon père, de suivre aveuglément toutes vos volontés.

5

ARGAN

Ma femme, votre belle-mère, avait envie
que je vous fisse religieuse, et votre petite
sœur Louison aussi [1], et de tout temps elle a été
aheurtée [2] à cela.

TOINETTE, *tout bas*

La bonne bête [3] a ses raisons.

10

ARGAN

Elle ne voulait point consentir à ce mariage,
mais je l'ai emporté, et ma parole est donnée.

---

1. Et que je fisse votre petite sœur Louison religieuse aussi.
2. « *S'aheurter* : s'attacher avec opiniâtreté à quelque opinion » (Richelet, *Dictionnaire français*, 1680).
3. « On dit ironiquement qu'un homme est une *bonne bête*,
une fausse bête pour dire qu'il est dangereux de s'attaquer à lui,
qu'il est plus à craindre qu'on ne pense » (Furetière).

ANGÉLIQUE

Ah ! mon père, que je vous suis obligée de toutes vos bontés.

TOINETTE

En vérité, je vous sais bon gré de cela, et voilà l'action la plus sage que vous ayez faite de votre vie.

ARGAN

Je n'ai point encore vu la personne ; mais on m'a dit que j'en serais content, et toi aussi.

ANGÉLIQUE

Assurément, mon père.

ARGAN

Comment l'as-tu vu ?

ANGÉLIQUE

Puisque votre consentement m'autorise à vous pouvoir ouvrir mon cœur, je ne feindrai[1] point de vous dire que le hasard nous a fait connaître il y a six jours, et que la demande qu'on vous a faite est un effet de l'inclination[2]

---

1. Je n'hésiterai point.
2. On se rappellera que, dans la *carte du Tendre*, le fleuve

que, dès cette première vue, nous avons prise
l'un pour l'autre.

ARGAN

Ils ne m'ont pas dit cela ; mais j'en suis bien
aise, et c'est tant mieux que les choses soient
de la sorte. Ils disent que c'est un grand jeune   5
garçon bien fait.

ANGÉLIQUE

Oui, mon père.

ARGAN

De belle taille.

ANGÉLIQUE

Sans doute.

ARGAN

Agréable de sa personne.   10

ANGÉLIQUE

Assurément.

ARGAN

De bonne physionomie.

Inclination emmène les amants sans escale à Tendre-sur-Incli-
nation. *Inclination* signifie à peu près ce que la phraséologie
amoureuse appellera plus tard coup de foudre.

ANGÉLIQUE

Très bonne.

ARGAN

Sage, et bien né.

ANGÉLIQUE

Tout à fait.

ARGAN

Fort honnête.

ANGÉLIQUE

5 Le plus honnête du monde.

ARGAN

Qui parle bien latin, et grec.

ANGÉLIQUE

C'est ce que je ne sais pas.

ARGAN

Et qui sera reçu médecin dans trois jours.

ANGÉLIQUE

Lui, mon père ?

ARGAN

Oui. Est-ce qu'il ne te l'a pas dit ?

ANGÉLIQUE

Non vraiment. Qui vous l'a dit à vous ?

ARGAN

Monsieur Purgon.

ANGÉLIQUE

Est-ce que Monsieur Purgon le connaît ?

ARGAN

La belle demande ! il faut bien qu'il le   5
connaisse, puisque c'est son neveu.

ANGÉLIQUE

Cléante, neveu de Monsieur Purgon ?

ARGAN

Quel Cléante ? Nous parlons de celui pour
qui l'on t'a demandée en mariage.

ANGÉLIQUE

Hé ! oui.   10

ARGAN

Hé bien, c'est le neveu de Monsieur Purgon, qui est le fils de son beau-frère le médecin, Monsieur Diafoirus ; et ce fils s'appelle Thomas Diafoirus, et non pas Cléante ; et nous avons conclu ce mariage-là ce matin, Monsieur Purgon, Monsieur Fleurant et moi, et, demain, ce gendre prétendu[1] doit m'être amené par son père. Qu'est-ce ? vous voilà tout ébaubie ?

ANGÉLIQUE

C'est, mon père, que je connais que vous avez parlé d'une personne, et que j'ai entendu une autre.

TOINETTE

Quoi ? Monsieur, vous auriez fait ce dessein burlesque ? Et avec tout le bien que vous avez, vous voudriez marier votre fille avec un médecin ?

ARGAN

Oui. De quoi te mêles-tu, coquine, impudente que tu es ?

---

1. Ce futur gendre.

TOINETTE

Mon Dieu ! tout doux : vous allez d'abord
aux invectives. Est-ce que nous ne pouvons
pas raisonner ensemble sans nous emporter ?
Là, parlons de sang-froid. Quelle est votre raison, s'il vous plaît, pour un tel mariage ?   5

ARGAN

Ma raison est que, me voyant infirme et
malade comme je suis, je veux me faire un
gendre et des alliés médecins, afin de m'appuyer
de bons secours contre ma maladie, d'avoir
dans ma famille les sources des remèdes qui   10
me sont nécessaires, et d'être à même[1] des
consultations et des ordonnances.

TOINETTE

Hé bien ! voilà dire une raison, et il y a plaisir à se répondre doucement les uns aux autres.
Mais, Monsieur, mettez la main à la conscience :   15
est-ce que vous êtes malade ?

ARGAN

Comment, coquine, si je suis malade ? si je
suis malade, impudente ?

---

1. *Être à même de* : avoir à sa disposition.

TOINETTE

Hé bien ! oui, Monsieur, vous êtes malade, n'ayons point de querelle là-dessus ; oui, vous êtes fort malade, j'en demeure d'accord, et plus malade que vous ne pensez : voilà qui est fait. Mais votre fille doit épouser un mari pour elle ; et, n'étant point malade, il n'est pas nécessaire de lui donner un médecin.

ARGAN

C'est pour moi que je lui donne ce médecin ; et une fille de bon naturel doit être ravie d'épouser ce qui est utile à la santé de son père.

TOINETTE

Ma foi ! Monsieur, voulez-vous qu'en amie je vous donne un conseil ?

ARGAN

Quel est-il ce conseil ?

TOINETTE

De ne point songer à ce mariage-là.

ARGAN

Hé la raison ?

TOINETTE

La raison ? C'est que votre fille n'y consentira point.

ARGAN

Elle n'y consentira point ?

TOINETTE

Non.

ARGAN

Ma fille ?   5

TOINETTE

Votre fille. Elle vous dira qu'elle n'a que
faire de Monsieur Diafoirus, ni de son fils
Thomas Diafoirus, ni de tous les Diafoirus du
monde.

ARGAN

J'en ai affaire, moi, outre que le parti est plus   10
avantageux qu'on ne pense. Monsieur Diafoirus n'a que ce fils-là pour tout héritier ; et, de
plus, Monsieur Purgon, qui n'a ni femme, ni
enfants, lui donne tout son bien, en faveur de
ce mariage ; et Monsieur Purgon est un homme   15
qui a huit mille bonnes livres de rente.

TOINETTE

Il faut qu'il ait tué bien des gens, pour s'être fait si riche.

ARGAN

Huit mille livres de rente sont quelque chose, sans compter le bien du père.

TOINETTE

5   Monsieur, tout cela est bel et bon ; mais j'en reviens toujours là : je vous conseille, entre nous, de lui choisir un autre mari, et elle n'est point faite pour être Madame Diafoirus.

ARGAN

Et je veux, moi, que cela soit.

TOINETTE

10   Eh fi[1] ! ne me dites pas cela.

ARGAN

Comment, que je ne dise pas cela ?

TOINETTE

Hé non !

---

1. *Fi !* : interjection exprimant le mépris.

ARGAN

Et pourquoi ne le dirai-je pas ?

TOINETTE

On dira que vous ne songez pas à ce que vous dites.

ARGAN

On dira ce qu'on voudra ; mais je vous dis que je veux qu'elle exécute la parole que j'ai donnée.

TOINETTE

Non : je suis sûre qu'elle ne le fera pas[1].

ARGAN

Je l'y forcerai bien.

TOINETTE

Elle ne le fera pas, vous dis-je.

---

1. De cette réplique de Toinette jusqu'à celle d'Argan : « Je ne suis point bon, je suis méchant quand je veux » (p. 77), Molière reprend, avec les quelques ajustements nécessaires, un dialogue qui opposait Scapin et Argante dans *Les Fourberies de Scapin*, acte I, sc. IV.

ARGAN

Elle le fera, ou je la mettrai dans un convent[1].

TOINETTE

Vous ?

ARGAN

Moi.

TOINETTE

5   Bon.

ARGAN

Comment, « bon » ?

TOINETTE

Vous ne la mettrez point dans un convent.

ARGAN

Je ne la mettrai point dans un convent ?

TOINETTE

Non.

---

1. La graphie et sans doute la prononciation *couvent* et *convent* coexistent encore. Co*u*vent ne l'emportera tout à fait qu'au XVIIIᵉ siècle.

ARGAN

Il ne faut point dire « bagatelles ».

TOINETTE

Mon Dieu ! je vous connais, vous êtes bon
naturellement.

ARGAN, *avec emportement*

Je ne suis point bon, et je suis méchant
quand je veux.   5

TOINETTE

Doucement, Monsieur : vous ne songez pas
que vous êtes malade.

ARGAN

Je lui commande absolument de se préparer
à prendre le mari que je dis.

TOINETTE

Et moi, je lui défends absolument d'en faire   10
rien.

ARGAN

Où est-ce donc que nous sommes ? et quelle
audace est-ce là à une coquine de servante de
parler de la sorte devant son maître ?

TOINETTE

Quand un maître ne songe pas à ce qu'il fait, une servante bien sensée est en droit de le redresser.

ARGAN *court après Toinette*

Ah ! insolente, il faut que je t'assomme.

TOINETTE *se sauve de lui*

5   Il est de mon devoir de m'opposer aux choses qui vous peuvent déshonorer.

ARGAN, *en colère, court après elle autour de sa chaise, son bâton à la main*

Viens, viens, que je t'apprenne à parler.

TOINETTE, *courant, et se sauvant du côté de la chaise où n'est pas Argan*

Je m'intéresse, comme je dois, à ne vous point laisser faire de folie.

ARGAN

10   Chienne !

TOINETTE

Non, je ne consentirai jamais à ce mariage.

ARGAN

Pendarde !

TOINETTE

Je ne veux point qu'elle épouse votre Thomas Diafoirus.

ARGAN

Carogne !

TOINETTE

Et elle m'obéira plutôt qu'à vous.   5

ARGAN

Angélique, tu ne veux pas m'arrêter cette
coquine-là ?

ANGÉLIQUE

Eh ! mon père, ne vous faites point malade.

ARGAN

Si tu ne me l'arrêtes, je te donnerai ma
malédiction.   10

TOINETTE

Et moi, je la déshériterai, si elle vous obéit.

ARGAN *se jette dans sa chaise,*
étant las de courir après elle

Ah ! ah ! je n'en puis plus. Voilà pour me
faire mourir.

SCÈNE VI

BÉLINE, ANGÉLIQUE, TOINETTE, ARGAN

ARGAN

Ah ! ma femme, approchez.

BÉLINE

Qu'avez-vous, mon pauvre mari ?

ARGAN

5   Venez-vous-en ici à mon secours.

BÉLINE

Qu'est-ce que c'est donc qu'il y a, mon petit
fils ?

ARGAN

Mamie.

BÉLINE

Mon ami.

ARGAN

On vient de me mettre en colère !

BÉLINE

Hélas ! pauvre petit mari. Comment donc,
mon ami ?

ARGAN

Votre coquine de Toinette est devenue plus
insolente que jamais.   5

BÉLINE

Ne vous passionnez donc point.

ARGAN

Elle m'a fait enrager, mamie.

BÉLINE

Doucement, mon fils.

ARGAN

Elle a contrecarré, une heure durant, les
choses que je veux faire.   10

BÉLINE

Là, là, tout doux.

ARGAN

Et a eu l'effronterie de me dire que je ne
suis point malade.

BÉLINE

C'est une impertinente.

ARGAN

Vous savez, mon cœur, ce qui en est.

BÉLINE

5   Oui, mon cœur, elle a tort.

ARGAN

Mamour, cette coquine-là me fera mourir.

BÉLINE

Eh là, eh là !

ARGAN

Elle est cause de toute la bile que je fais.

BÉLINE

Ne vous fâchez point tant.

ARGAN

10 Et il y a je ne sais combien que je vous dis
de me la chasser.

BÉLINE

Mon Dieu ! mon fils, il n'y a point de servi-
teurs et de servantes qui n'aient leurs défauts.
On est contraint parfois de souffrir leurs mauvaises qualités à cause des bonnes. Celle-ci est
adroite, soigneuse, diligente, et surtout fidèle[1], 5
et vous savez qu'il faut maintenant de grandes
précautions pour les gens que l'on prend. Holà !
Toinette.

TOINETTE

Madame.

BÉLINE

Pourquoi donc est-ce que vous mettez mon 10
mari en colère ?

TOINETTE, *d'un ton doucereux*

Moi, Madame, hélas ! Je ne sais pas ce que
vous me voulez dire, et je ne songe qu'à com-
plaire à Monsieur en toutes choses.

ARGAN

Ah ! la traîtresse ! 15

---

1. *Diligente* : rapide et efficace. *Fidèle* : honnête.

TOINETTE

Il nous a dit qu'il voulait donner sa fille en mariage au fils de Monsieur Diafoirus ; je lui ai répondu que je trouvais le parti avantageux pour elle ; mais que je croyais qu'il ferait mieux de la mettre dans un convent.

BÉLINE

Il n'y a pas grand mal à cela, et je trouve qu'elle a raison.

ARGAN

Ah ! mamour, vous la croyez. C'est une scélérate : elle m'a dit cent insolences.

BÉLINE

Hé bien ! je vous crois, mon ami. Là, remettez-vous. Écoutez Toinette, si vous fâchez jamais mon mari, je vous mettrai dehors. Çà, donnez-moi son manteau fourré et des oreillers, que je l'accommode dans sa chaise. Vous voilà je ne sais comment. Enfoncez bien votre bonnet jusque sur vos oreilles : il n'y a rien qui enrhume tant que de prendre l'air par les oreilles.

ARGAN

Ah ! mamie, que je vous suis obligé de tous les soins que vous prenez de moi !

BÉLINE, *accommodant les oreillers*
qu'elle met autour d'Argan

Levez-vous, que je mette ceci sous vous.
Mettons celui-ci pour vous appuyer, et celui-là
de l'autre côté. Mettons celui-ci derrière votre
dos, et cet autre-là pour soutenir votre tête.

TOINETTE, *lui mettant rudement un*
oreiller sur la tête, et puis fuyant

Et celui-ci pour vous garder du serein[1].   5

ARGAN *se lève en colère, et jette tous*
les oreillers à Toinette

Ah! coquine, tu veux m'étouffer.

BÉLINE

Eh là, eh là! Qu'est-ce que c'est donc?

ARGAN, *tout essoufflé, se jette*
dans sa chaise

Ah, ah, ah! je n'en puis plus.

BÉLINE

Pourquoi vous emporter ainsi? Elle a cru
faire bien.   10

---

1. «*Serein*: humidité froide qui tombe vers le coucher du
soleil» (Furetière).

ARGAN

Vous ne connaissez pas, mamour, la malice de la pendarde. Ah ! elle m'a mis tout hors de moi ; et il faudra plus de huit médecines, et de douze lavements, pour réparer tout ceci.

BÉLINE

5   Là, là, mon petit ami, apaisez-vous un peu.

ARGAN

Mamie, vous êtes toute ma consolation.

BÉLINE

Pauvre petit fils.

ARGAN

Pour tâcher de reconnaître l'amour que vous me portez, je veux, mon cœur, comme je vous ai dit, faire mon testament.

BÉLINE

Ah ! mon ami, ne parlons point de cela, je vous prie : je ne saurais souffrir cette pensée ; et le seul mot de testament me fait tressaillir de douleur.

ARGAN

Je vous avais dit de parler pour cela à votre notaire.

BÉLINE

Le voilà là-dedans, que j'ai amené avec moi.

ARGAN

Faites-le donc entrer, mamour.

BÉLINE

Hélas ! mon ami, quand on aime bien un   5
mari, on n'est guère en état de songer à tout cela.

SCÈNE VII

LE NOTAIRE, BÉLINE, ARGAN

ARGAN

Approchez, Monsieur de Bonnefoy, appro-chez. Prenez un siège, s'il vous plaît. Ma femme m'a dit, Monsieur, que vous étiez fort   10
honnête homme, et tout à fait de ses amis ; et je l'ai chargée de vous parler pour un testa-ment que je veux faire.

BÉLINE

Hélas ! je ne suis point capable de parler de
ces choses-là.

LE NOTAIRE

Elle m'a, Monsieur, expliqué vos intentions,
et le dessein où vous êtes pour elle ; et j'ai à
5   vous dire là-dessus que vous ne sauriez rien
donner à votre femme par votre testament.

ARGAN

Mais pourquoi ?

LE NOTAIRE

La Coutume y résiste. Si vous étiez en pays
de droit écrit[1], cela se pourrait faire ; mais, à
10 Paris, et dans les pays coutumiers, au moins
dans la plupart, c'est ce qui ne se peut, et la disposition serait nulle. Tout l'avantage qu'homme
et femme conjoints par mariage se peuvent
faire l'un à l'autre, c'est un don mutuel entre

1. Paris et tout le nord de la France sont pays de droit coutumier (loi non écrite, mais consacrée par l'usage). Ce droit a
pris en général forme écrite et imprimée depuis longtemps,
mais garde pourtant son nom de coutumier. Le sud de la France,
en général, se règle sur le droit romain, écrit depuis toujours.
— Les propos de M. de Bonnefoy reproduisent fidèlement la
Coutume de Paris.

vifs[1] ; encore faut-il qu'il n'y ait enfants, soit des deux conjoints, ou de l'un d'eux, lors du décès du premier mourant.

ARGAN

Voilà une Coutume bien impertinente, qu'un mari ne puisse rien laisser à une femme dont il est aimé tendrement, et qui prend de lui tant de soin. J'aurais envie de consulter mon avocat, pour voir comment je pourrais faire.

LE NOTAIRE

Ce n'est point à des avocats qu'il faut aller, car ils sont d'ordinaire sévères là-dessus, et s'imaginent que c'est un grand crime que de disposer en fraude de la loi. Ce sont gens de difficultés, et qui sont ignorants des détours de la conscience[2]. Il y a d'autres personnes à consulter, qui sont bien plus accommodantes, qui ont des expédients pour passer doucement par-dessus la loi, et rendre juste ce qui n'est

---

1. Entre personnes vivantes, donc hors testament.
2. Les *détours de la conscience* : les moyens détournés pour mettre la conscience à l'aise. M. de Bonnefoy va proposer un certain nombre de subterfuges juridiques pour spolier les héritiers légitimes. Ce sont des éléments d'une casuistique juridique correspondant à la casuistique de la théologie morale, qui s'applique à résoudre les cas de conscience. Son rôle est ainsi analogue à celui de Tartuffe proposant à Elmire des moyens de tourner les commandements de Dieu et de l'Église.

pas permis ; qui savent aplanir les difficultés d'une affaire, et trouver des moyens d'éluder la Coutume par quelque avantage indirect. Sans cela, où en serions-nous tous les jours ? Il faut de la facilité dans les choses ; autrement nous ne ferions rien, et je ne donnerais pas un sou de notre métier.

ARGAN

Ma femme m'avait bien dit, Monsieur, que vous étiez fort habile, et fort honnête homme. Comment puis-je faire, s'il vous plaît, pour lui donner mon bien, et en frustrer[1] mes enfants ?

LE NOTAIRE

Comment vous pouvez faire ? Vous pouvez choisir doucement un ami intime de votre femme, auquel vous donnerez en bonne forme par votre testament tout ce que vous pouvez[2], et cet ami ensuite lui rendra tout[3]. Vous pouvez encore contracter un grand nombre d'obli-

1. Entre « fort honnête homme » et « frustrer » s'établit un humour très grinçant qui révèle jusqu'où l'inconscience et la passion d'Argan peuvent aller.
2. *Tout ce que vous pouvez*, c'est la quotité disponible, la moitié des biens d'Argan.
3. C'est le procédé du fidéicommis. « "Les fidéicommis" sont fort en usage dans le droit romain, sont odieux dans le droit français » (Furetière).

gations[1], non suspectes, au profit de divers créanciers, qui prêteront leur nom à votre femme, et entre les mains de laquelle ils mettront leur déclaration que ce qu'ils en ont fait n'a été que pour lui faire plaisir. Vous pouvez aussi, pendant que vous êtes en vie, mettre entre ses mains de l'argent comptant, ou des billets[2] que vous pourrez avoir, payables au porteur.

BÉLINE

Mon Dieu ! il ne faut point vous tourmenter de tout cela. S'il vient faute de vous[3], mon fils, je ne veux plus rester au monde.

ARGAN

Mamie !

BÉLINE

Oui, mon ami, si je suis assez malheureuse pour vous perdre...

---

1. *Obligations* : « Acte public par lequel on s'oblige à payer dans un certain temps une somme d'argent empruntée » (Furetière). La fortune d'Argan sera ainsi transformée en prêts remboursables à Béline.
2. La troisième méthode pour frustrer les héritiers légitimes d'Argan est de transformer sa fortune en argent liquide ou billets au porteur.
3. Si vous venez à me manquer.

ARGAN

Ma chère femme !

BÉLINE

La vie ne me sera plus de rien.

ARGAN

Mamour !

BÉLINE

Et je suivrai vos pas, pour vous faire
5   connaître la tendresse que j'ai pour vous.

ARGAN

Mamie, vous me fendez le cœur. Consolez-
vous, je vous en prie.

LE NOTAIRE

Ces larmes sont hors de saison, et les choses
n'en sont point encore là.

BÉLINE

10   Ah ! Monsieur, vous ne savez pas ce que
c'est qu'un mari qu'on aime tendrement.

ARGAN

Tout le regret que j'aurai, si je meurs, mamie,
c'est de n'avoir point un enfant de vous. Mon-

sieur Purgon m'avait dit qu'il m'en ferait faire un.

LE NOTAIRE

Cela pourra venir encore.

ARGAN

Il faut faire mon testament, mamour, de la façon que Monsieur dit ; mais, par précaution, 5 je veux vous mettre entre les mains vingt mille francs en or, que j'ai dans le lambris[1] de mon alcôve, et deux billets payables au porteur, qui me sont dus, l'un par Monsieur Damon, et l'autre par Monsieur Gérante. 10

BÉLINE

Non, non, je ne veux point de tout cela. Ah ! combien dites-vous qu'il y a dans votre alcôve ?

ARGAN

Vingt mille francs, mamour.

BÉLINE

Ne me parlez point de bien, je vous prie. 15 Ah ! de combien sont les deux billets ?

---

1. Argan a une cachette, qu'apparemment Béline ne connaissait pas encore, dans une boiserie.

ARGAN

Ils sont, mamie, l'un de quatre mille francs,
et l'autre de six.

BÉLINE

Tous les biens du monde, mon ami, ne me
sont rien au prix de vous.

LE NOTAIRE

5   Voulez-vous que nous procédions au testament ?

ARGAN

Oui, Monsieur ; mais nous serons mieux
dans mon petit cabinet. Mamour, conduisez-
moi, je vous prie.

BÉLINE

10   Allons, mon pauvre petit fils.

SCÈNE VIII

ANGÉLIQUE, TOINETTE

TOINETTE

Les voilà avec un notaire, et j'ai ouï parler de testament. Votre belle-mère ne s'endort point, et c'est sans doute quelque conspiration contre vos intérêts où elle pousse votre père.

ANGÉLIQUE

Qu'il dispose de son bien à sa fantaisie,   5
pourvu qu'il ne dispose point de mon cœur. Tu vois, Toinette, les desseins violents que l'on fait sur lui. Ne m'abandonne point, je te prie, dans l'extrémité où je suis.

TOINETTE

Moi, vous abandonner ? j'aimerais mieux   10
mourir. Votre belle-mère a beau me faire sa confidente, et me vouloir jeter dans ses intérêts, je n'ai jamais pu avoir d'inclination pour elle, et j'ai toujours été de votre parti. Laissez-moi faire : j'emploierai toute chose pour vous   15
servir ; mais pour vous servir avec plus d'effet, je veux changer de batterie, couvrir le zèle que j'ai pour vous, et feindre d'entrer dans les

sentiments de votre père et de votre belle-
mère.

ANGÉLIQUE

Tâche, je t'en conjure, de faire donner avis
à Cléante du mariage qu'on a conclu.

TOINETTE

5 Je n'ai personne à employer à cet office,
que le vieux usurier Polichinelle[1], mon amant,
et il m'en coûtera pour cela quelques paroles
de douceur, que je veux bien dépenser pour
vous. Pour aujourd'hui il est trop tard ; mais
10 demain, du grand matin, je l'envoierai querir,
et il sera ravi de…

BÉLINE

Toinette.

TOINETTE

Voilà qu'on m'appelle. Bonsoir. Reposez-
vous sur moi.

FIN DU PREMIER ACTE

Le théâtre change et représente une ville.

---

1. *Polichinelle* est un masque illustre de la comédie italienne, petit homme au nez crochu. On voit avec quelle désin-
volture un personnage de la *commedia dell'arte* est introduit
dans une pièce au demeurant toute française.

PREMIER INTERMÈDE

Polichinelle, dans la nuit, vient pour donner une sérénade à sa maîtresse. Il est interrompu d'abord par des violons, contre lesquels il se met en colère, et ensuite par le Guet, composé de musiciens et de danseurs.

POLICHINELLE

Ô amour, amour, amour, amour! Pauvre Polichinelle, quelle diable de fantaisie t'es-tu allé mettre dans la cervelle? À quoi t'amuses-tu, misérable insensé que tu es? Tu quittes le soin de ton négoce, et tu laisses aller tes 5 *affaires à l'abandon. Tu ne manges plus, tu ne bois presque plus, tu perds le repos de la nuit; et tout cela pour qui? Pour une dragonne, franche dragonne, une diablesse qui te rembarre, et se moque de tout ce que tu peux lui* 10 *dire. Mais il n'y a point à raisonner là-dessus. Tu le veux, amour: il faut être fou comme beaucoup d'autres. Cela n'est pas le mieux du monde à un homme de mon âge; mais qu'y faire? On n'est pas sage quand on veut, et* 15 *les vieilles cervelles se démontent comme les jeunes.*

Je viens voir si je ne pourrai point adoucir ma tigresse par une sérénade. Il n'y a rien

parfois qui soit si touchant qu'un amant qui
vient chanter ses doléances aux gonds et aux
verrous de la porte de sa maîtresse. Voici de
quoi accompagner ma voix. Ô nuit! ô chère
5 *nuit! porte mes plaintes amoureuses jusque*
dans le lit de mon inflexible.

(Il chante ces paroles)

Notte e dì v' amo e v' adoro,
Cerco un sì per mio ristoro;
Ma se voi dite di no,
10 *Bell' ingrata, io morirò.*

Fra la speranza
S' afflige il cuore,
In lontananza
Consuma l'hore;
15 *Si dolce inganno*
Che mi figura
Breve l'affanno
Ahi! troppo dura!
Cosi per tropp' amar languisco e muoro.

20 *Notte e dì v' amo e v' adoro,*
Cerco un sì per mio ristoro;
Ma se voi dite di no,
Bell'ingrata, io morirò.

Se non dormite,
25 *Almen pensate*

Alle ferite
Ch' al cuor mi fate ;
Deh ! almen fingete,
Per mio conforto,
Se m'uccidete,   5
D'haver il torto :
Vostra pietà mi scemer à il martoro.

Notte e dì v'amo e v' adoro,
Cerco un sì per mio ristoro ;
Ma se voi dite di no,   10
Bell' ingrata, io morirò[1].

UNE VIEILLE *se présente à la fenêtre,*
et répond au seignor Polichinelle
en se moquant de lui.

Zerbinetti, ch' ogn' hor con finti sguardi,
Mentiti desiri,
Fallaci sospiri,
Accenti bugiardi,   15
Di fede vi pregiate,

1. POLICHINELLE : «Nuit et jour, je vous aime et vous
adore. Je demande un oui pour mon réconfort; mais si vous
dites un non, belle ingrate, je mourrai. / Au sein de l'espérance,
le cœur s'afflige; dans l'absence, il consume tristement les
heures. Ah ! la douce illusion qui me fait apercevoir la fin pro-
chaine de mon tourment dure trop longtemps. Pour trop vous
aimer, je languis, je meurs / Nuit et jour... / Si vous ne dormez
pas, au moins pensez aux blessures que vous faites à mon cœur ;
si vous me faites périr, ah ! pour ma consolation, feignez au
moins de vous le reprocher ; votre pitié diminuera mon martyre
/ Nuit et jour... »

Ah ! che non m' ingannate,
Che già so per prova
Ch' in voi non si trova
Constanza ne fede :
5 *Oh ! quanto è pazza colei che vi crede !*

Quei sguardi languidi
Non m' innamorano,
Quei sospir fervidi
Più non m' infiammano,
10 *Vel giuro a fè.*
Zerbino misero,
Del vostro piangere
Il mio cor libero
Vuol sempre ridere,
15   *Credet' a me :*
Che già so per prova
Ch' in voi non si trova
Constanza ne fede :
Oh ! quanto è pazza colei che vi crede[1] *!*

VIOLONS

---

1. UNE VIEILLE : « Petits galants, qui à chaque instant avec des regards trompeurs, des désirs mensongers, des soupirs falla-cieux et des serments perfides, vous vantez d'être fidèles, ah ! vous ne me trompez plus. Je sais par expérience qu'on ne trouve en vous ni constance ni foi. Oh ! combien est folle celle qui vous croit ! / Ces regards languissants ne m'attendrissent plus ; ces soupirs brûlants ne m'enflamment plus, je vous le jure sur ma foi. Pauvre galant, mon cœur rendu à la liberté veut toujours rire de vos plaintes : croyez-moi, je sais par expérience… »

POLICHINELLE

Quelle impertinente harmonie vient inter-
rompre ici ma voix?

VIOLONS

POLICHINELLE

Paix là, taisez-vous, violons. Laissez-moi
me plaindre à mon aise des cruautés de mon
inexorable.

5

VIOLONS

POLICHINELLE

Taisez-vous, vous dis-je. C'est moi qui veux
chanter.

VIOLONS

POLICHINELLE

Paix donc !

VIOLONS

POLICHINELLE

Ouais !

VIOLONS

POLICHINELLE

Ahi !

VIOLONS

POLICHINELLE

Est-ce pour rire ?

VIOLONS

POLICHINELLE

Ah ! que de bruit !

VIOLONS

POLICHINELLE

Le diable vous emporte !

VIOLONS

POLICHINELLE

5 *J'enrage.*

VIOLONS

POLICHINELLE

Vous ne vous tairez pas ? Ah, Dieu soit loué !

VIOLONS

POLICHINELLE

Encore ?

VIOLONS

POLICHINELLE

Peste de violons !

VIOLONS

POLICHINELLE

La sotte musique que voilà !

VIOLONS

POLICHINELLE

La, la, la, la, la, la.

VIOLONS

POLICHINELLE

La, la, la, la, la, la.

5

VIOLONS

POLICHINELLE

La, la, la, la, la, la, la, la.

VIOLONS

POLICHINELLE

La, la, la, la, la.

VIOLONS

POLICHINELLE

La, la, la, la, la, la.

VIOLONS

POLICHINELLE

Par ma foi! cela me divertit. Poursuivez,
Messieurs les Violons, vous me ferez plaisir.
5 *Allons donc, continuez. Je vous en prie. Voilà*
le moyen de les faire taire. La musique est
accoutumée à ne point faire ce qu'on veut[1]. Ho
sus, à nous! Avant que de chanter, il faut que
je prélude un peu, et joue quelque pièce, afin
10 *de mieux prendre mon ton.* Plan, plan, plan.
Plin, plin, plin. *Voilà un temps fâcheux pour*
mettre un luth d'accord. Plin, plin, plin. Plin
tan plan. Plin, plin. *Les cordes ne tiennent*
point par ce temps-là. Plin, plan. *J'entends du*
15 *bruit, mettons mon luth contre la porte.*

1. Les musiciens, depuis que Polichinelle a dit : «Quelle
impertinente harmonie vient interrompre ma voix», l'ont sans
cesse empêché de chanter. Ils s'arrêtent dès qu'il les a priés de
continuer.

ARCHERS

Qui va là, qui va là ?

POLICHINELLE

Qui diable est cela ? Est-ce que c'est la mode de parler en musique ?

ARCHERS

Qui va là, qui va là, qui va là ?

POLICHINELLE

Moi, moi, moi.

5

ARCHERS

Qui va là, qui va là ? vous dis-je.

POLICHINELLE

Moi, moi, vous dis-je.

ARCHERS

Et qui toi ? et qui toi ?

POLICHINELLE

Moi, moi, moi, moi, moi, moi.

ARCHERS

Dis ton nom, dis ton nom, sans davantage attendre.

10

POLICHINELLE

Mon nom est : « Va te faire pendre. »

ARCHERS

Ici, camarade, ici.
Saisissons l'insolent qui nous répond ainsi.

ENTRÉE DE BALLET

Tout le Guet vient, qui cherche Polichinelle
dans la nuit.

VIOLONS ET DANSEURS

POLICHINELLE

Qui va là ?

VIOLONS ET DANSEURS

POLICHINELLE

Qui sont les coquins que j'entends ?

VIOLONS ET DANSEURS

POLICHINELLE

Euh ?

VIOLONS ET DANSEURS

POLICHINELLE

Holà, mes laquais, mes gens !

VIOLONS ET DANSEURS

POLICHINELLE

Par la mort !

VIOLONS ET DANSEURS

POLICHINELLE

Par la[1] sang !

VIOLONS ET DANSEURS

POLICHINELLE

J'en jetterai par terre.

VIOLONS ET DANSEURS

POLICHINELLE

Champagne, Poitevin, Picard, Basque, Breton[2] !   5

1. Livet, *Lexique de Molière* (1895), explique ainsi ce féminin : le juron « Par la mort de Dieu » devient *par le morbleu*, sur quoi est fabriqué *palsambleu* ou *par le sang bleu* abrégé *par la sang*.
2. On nommait les domestiques par la province d'où ils étaient originaires.

VIOLONS ET DANSEURS

POLICHINELLE

Donnez-moi mon mousqueton.

VIOLONS ET DANSEURS

POLICHINELLE *tire un coup de pistolet*

Poue.

(Ils tombent tous et s'enfuient.)

POLICHINELLE

Ah, ah, ah, ah, comme je leur ai donné
l'épouvante! Voilà de sottes gens d'avoir
5 *peur de moi, qui ai peur des autres. Ma foi!*
il n'est que de jouer d'adresse en ce monde.
Si je n'avais tranché du grand seigneur, et
n'avais fait le brave, ils n'auraient pas man-
qué de me happer. Ah, ah, ah.

ARCHERS

10 *Nous le tenons. À nous, camarades, à nous :*
Dépêchez, de la lumière.

BALLET

Tout le Guet vient avec des lanternes.

ARCHERS

Ah, traître ! ah, fripon ! c'est donc vous ?
Faquin, maraud, pendard, impudent, téméraire,
Insolant, effronté, coquin, filou, voleur,
Vous osez nous faire peur ?

POLICHINELLE

Messieurs, c'est que j'étais ivre. 5

ARCHERS

Non, non, non, point de raison ;
Il faut vous apprendre à vivre.
En prison, vite, en prison.

POLICHINELLE

Messieurs, je ne suis point voleur.

ARCHERS

En prison. 10

POLICHINELLE

Je suis un bourgeois de la ville.

ARCHERS

En prison.

POLICHINELLE

Qu'ai-je fait ?

ARCHERS

En prison, vite, en prison.

POLICHINELLE

Messieurs, laissez-moi aller.

ARCHERS

5   *Non.*

POLICHINELLE

Je vous prie.

ARCHERS

Non.

POLICHINELLE

Eh !

ARCHERS

Non.

POLICHINELLE

10   *De grâce.*

ARCHERS

Non, non.

POLICHINELLE

Messieurs.

ARCHERS

Non, non, non.

POLICHINELLE

S'il vous plaît.

ARCHERS

Non, non.

5

POLICHINELLE

Par charité.

ARCHERS

Non, non.

POLICHINELLE

Au nom du Ciel !

ARCHERS

Non, non.

POLICHINELLE

Miséricorde !

10

ARCHERS

Non, non, non, point de raison ;
Il faut vous apprendre à vivre.
En prison, vite, en prison.

POLICHINELLE

Eh ! n'est-il rien, Messieurs, qui soit capable
5   *d'attendrir vos âmes ?*

ARCHERS

Il est aisé de nous toucher,
Et nous sommes humains plus qu'on ne
                              [saurait croire ;
Donnez-nous doucement six pistoles[1] *pour*
                              [boire,
          Nous allons vous lâcher.

POLICHINELLE

10   *Hélas ! Messieurs, je vous assure que je*
n'ai pas un sou sur moi.

ARCHERS

Au défaut de six pistoles,
Choisissez donc sans façon
D'avoir trente croquignoles[2],
15   *Ou douze coups de bâton.*

1. *Pistole* : ancienne monnaie. La pistole vaut 11 livres.
2. *Croquignole* : coup sur le nez. L'idée de cette scène se

POLICHINELLE

Si c'est une nécessité, et qu'il faille en pas-
ser par là, je choisis les croquignoles.

ARCHERS

Allons, préparez-vous,
Et comptez bien les coups.

BALLET

Les Archers danseurs lui donnent des croquignoles en cadence.

POLICHINELLE

Un et deux, trois et quatre, cinq et six, sept 5
et huit, neuf et dix, onze et douze, et treize, et
quatorze, et quinze.

ARCHERS

Ah, ah, vous en voulez passer :
Allons, c'est à recommencer.

---

trouve dans la comédie *Candelaio* de Giordano Bruno (traduite
en français en 1633). C'est le thème d'un conte de La Fontaine,
Le paysan qui avait offensé son seigneur.

POLICHINELLE

*Ah ! Messieurs, ma pauvre tête n'en peut
plus, et vous venez de me la rendre comme une
pomme cuite. J'aime mieux encore les coups
de bâton que de recommencer.*

ARCHERS

5 *Soit ! puisque le bâton est pour vous plus*
> *[charmant,*
> *Vous aurez contentement.*

BALLET

Les Archers danseurs lui donnent des coups
de bâton en cadence.

POLICHINELLE

*Un, deux, trois, quatre, cinq, six, ah, ah, ah,
je n'y saurais plus résister. Tenez, Messieurs,
voilà six pistoles que je vous donne.*

ARCHERS

10 *Ah, l'honnête homme ! Ah, l'âme noble et*
> *[belle !*
Adieu, seigneur, adieu, seigneur Polichinelle.

POLICHINELLE

Messieurs, je vous donne le bonsoir.

ARCHERS

Adieu, seigneur, adieu, seigneur Polichinelle.

POLICHINELLE

Votre serviteur.

ARCHERS

Adieu, seigneur, adieu, seigneur Polichinelle.

POLICHINELLE

Très humble valet.

5

ARCHERS

Adieu, seigneur, adieu, seigneur Polichinelle.

POLICHINELLE

Jusqu'au revoir.

BALLET

Ils dansent tous, en réjouissance de l'argent qu'ils ont reçu. Le théâtre change et représente la même chambre.

ACTE II

SCÈNE PREMIÈRE

TOINETTE, CLÉANTE

TOINETTE

Que demandez-vous, Monsieur ?

CLÉANTE

Ce que je demande ?

TOINETTE

Ah, ah, c'est vous ? Quelle surprise ! Que venez-vous faire céans ?

CLÉANTE

5   Savoir ma destinée, parler à l'aimable Angélique, consulter les sentiments de son cœur, et

lui demander ses résolutions sur ce mariage
fatal dont on m'a averti.

TOINETTE

Oui, mais on ne parle pas comme cela de
but en blanc à Angélique : il y faut des mystères, et l'on vous a dit l'étroite garde où elle   5
est retenue, qu'on ne la laisse ni sortir, ni parler à personne, et que ce ne fut que la curiosité
d'une vieille tante qui nous fit accorder la
liberté d'aller à cette comédie qui donna lieu à
la naissance de votre passion ; et nous nous   10
sommes bien gardées de parler de cette aventure.

CLÉANTE

Aussi ne viens-je pas ici comme Cléante et
sous l'apparence de son amant, mais comme
ami de son maître de musique, dont j'ai   15
obtenu le pouvoir de dire qu'il m'envoie à sa
place.

TOINETTE

Voici son père. Retirez-vous un peu, et me
laissez lui dire que vous êtes là.

SCÈNE II

ARGAN, TOINETTE, CLÉANTE

ARGAN

Monsieur Purgon m'a dit de me promener le matin dans ma chambre, douze allées, et douze venues ; mais j'ai oublié à lui demander si c'est en long, ou en large.

TOINETTE

5   Monsieur, voilà un...

ARGAN

Parle bas, pendarde : tu viens m'ébranler tout le cerveau, et tu ne songes pas qu'il ne faut point parler si haut à des malades.

TOINETTE

Je voulais vous dire, Monsieur...

ARGAN

10   Parle bas, te dis-je.

TOINETTE

Monsieur...

Elle fait semblant de parler.

ARGAN

Eh ?

TOINETTE

Je vous dis que…

Elle fait semblant de parler.

ARGAN

Qu'est-ce que tu dis ?

TOINETTE, *haut*

Je dis que voilà un homme qui veut parler à
vous.

5

ARGAN

Qu'il vienne.

*Toinette fait signe à Cléante
d'avancer.*

CLÉANTE

Monsieur…

TOINETTE, *raillant*

Ne parlez pas si haut, de peur d'ébranler le
cerveau de Monsieur.

CLÉANTE

Monsieur, je suis ravi de vous trouver debout et de voir que vous vous portez mieux.

TOINETTE, *feignant d'être en colère*

Comment «qu'il se porte mieux»? Cela est faux : Monsieur se porte toujours mal.

CLÉANTE

5 J'ai ouï dire que Monsieur était mieux, et je lui trouve bon visage.

TOINETTE

Que voulez-vous dire avec votre bon visage? Monsieur l'a fort mauvais, et ce sont des impertinents qui vous ont dit qu'il était mieux. 10 Il ne s'est jamais si mal porté.

ARGAN

Elle a raison.

TOINETTE

Il marche, dort, mange, et boit tout comme les autres; mais cela n'empêche pas qu'il ne soit fort malade.

ARGAN

15 Cela est vrai.

CLÉANTE

Monsieur, j'en suis au désespoir. Je viens
de la part du maître à chanter de Mademoiselle votre fille. Il s'est vu obligé d'aller à la
campagne pour quelques jours ; et comme son
ami intime, il m'envoie à sa place pour lui   5
continuer ses leçons, de peur qu'en les inter-
rompant elle ne vînt à oublier ce qu'elle sait
déjà.

ARGAN

Fort bien. Appelez Angélique.

TOINETTE

Je crois, Monsieur, qu'il sera mieux de   10
mener Monsieur à sa chambre.

ARGAN

Non ; faites-la venir.

TOINETTE

Il ne pourra lui donner leçon comme il faut,
s'ils ne sont en particulier.

ARGAN

Si fait, si fait.   15

TOINETTE

Monsieur, cela ne fera que vous étourdir, et il ne faut rien pour vous émouvoir en l'état où vous êtes, et vous ébranler le cerveau.

ARGAN

Point, point : j'aime la musique, et je serai
5 bien aise de… Ah ! la voici. Allez-vous-en voir, vous, si ma femme est habillée.

SCÈNE III

ARGAN, ANGÉLIQUE, CLÉANTE

ARGAN

Venez, ma fille : votre maître de musique est allé aux champs, et voilà une personne qu'il envoie à sa place pour vous montrer.

ANGÉLIQUE

10 Ah, Ciel !

ARGAN

Qu'est-ce ? d'où vient cette surprise ?

ANGÉLIQUE

C'est…

ARGAN

Quoi ? qui vous émeut de la sorte ?

ANGÉLIQUE

C'est, mon père, une aventure surprenante
qui se rencontre ici.

ARGAN

Comment ?   5

ANGÉLIQUE

J'ai songé cette nuit que j'étais dans le plus
grand embarras du monde, et qu'une personne faite tout comme Monsieur s'est présentée à moi, à qui j'ai demandé secours, et
qui m'est venue tirer de la peine où j'étais ;   10
et ma surprise a été grande de voir inopiné-
ment, en arrivant ici, ce que j'ai eu dans l'idée
toute la nuit.

CLÉANTE

Ce n'est pas être malheureux que d'occuper
votre pensée, soit en dormant, soit en veillant,   15
et mon bonheur serait grand sans doute si vous
étiez dans quelque peine dont vous me jugeas-

siez digne de vous tirer ; et il n'y a rien que je
ne fisse pour…

SCÈNE IV

TOINETTE, CLÉANTE, ANGÉLIQUE, ARGAN

TOINETTE, *par dérision*

Ma foi, Monsieur, je suis pour vous maintenant, et je me dédis de tout ce que je disais
5   hier. Voici Monsieur Diafoirus le père, et
Monsieur Diafoirus le fils, qui viennent vous
rendre visite. Que vous serez bien engendré[1] !
Vous allez voir le garçon le mieux fait du
monde, et le plus spirituel. Il n'a dit que deux
10 mots, qui m'ont ravie, et votre fille va être
charmée de lui.

ARGAN, *à Cléante, qui feint
de vouloir s'en aller*

Ne vous en allez point, Monsieur. C'est que
je marie ma fille ; et voilà qu'on lui amène son
prétendu[2] mari, qu'elle n'a point encore vu.

---

1. Que vous serez pourvu d'un bon gendre !
2. Prétendu n'a pas le sens péjoratif qu'on lui connaît aujour-
d'hui. Il s'agit du futur mari (voir également p. 68).

CLÉANTE

C'est m'honorer beaucoup, Monsieur, de vouloir que je sois témoin d'une entrevue si agréable.

ARGAN

C'est le fils d'un habile médecin, et le mariage se fera dans quatre jours.   5

CLÉANTE

Fort bien.

ARGAN

Mandez-le[1] un peu à son maître de musique, afin qu'il se trouve à la noce.

CLÉANTE

Je n'y manquerai pas.

ARGAN

Je vous y prie aussi.   10

CLÉANTE

Vous me faites beaucoup d'honneur.

---

1. *Mander* : faire savoir.

TOINETTE

Allons, qu'on se range, les voici.

SCÈNE V

MONSIEUR DIAFOIRUS, THOMAS DIAFOIRUS,
ARGAN, ANGÉLIQUE, CLÉANTE, TOINETTE

ARGAN, *mettant la main à son bonnet*
sans l'ôter

Monsieur Purgon, Monsieur, m'a défendu
de découvrir ma tête. Vous êtes du métier,
vous savez les conséquences.

MONSIEUR DIAFOIRUS

5   Nous sommes dans toutes nos visites pour
porter secours aux malades, et non pour leur
porter de l'incommodité.

ARGAN

Je reçois, Monsieur…

Ils parlent tous deux en même temps,
s'interrompent et confondent.

MONSIEUR DIAFOIRUS

Nous venons ici, Monsieur…

ARGAN

Avec beaucoup de joie…

MONSIEUR DIAFOIRUS

Mon fils Thomas et moi…

ARGAN

L'honneur que vous me faites…

MONSIEUR DIAFOIRUS

Vous témoigner, Monsieur…

5

ARGAN

Et j'aurais souhaité…

MONSIEUR DIAFOIRUS

Le ravissement où nous sommes…

ARGAN

De pouvoir aller chez vous…

MONSIEUR DIAFOIRUS

De la grâce que vous nous faites…

ARGAN

Pour vous en assurer…

MONSIEUR DIAFOIRUS

De vouloir bien nous recevoir…

ARGAN

Mais vous savez, Monsieur…

MONSIEUR DIAFOIRUS

Dans l'honneur, Monsieur…

ARGAN

5 Ce que c'est qu'un pauvre malade…

MONSIEUR DIAFOIRUS

De votre alliance…

ARGAN

Qui ne peut faire autre chose…

MONSIEUR DIAFOIRUS

Et vous assurer…

ARGAN

Que de vous dire ici…

MONSIEUR DIAFOIRUS

Que dans les choses qui dépendront de notre métier…

ARGAN

Qu'il cherchera toutes les occasions…

MONSIEUR DIAFOIRUS

De même qu'en toute autre…

ARGAN

De vous faire connaître, Monsieur…   5

MONSIEUR DIAFOIRUS

Nous serons toujours prêts, Monsieur…

ARGAN

Qu'il est tout à votre service…

MONSIEUR DIAFOIRUS

À vous témoigner notre zèle. *(Il se retourne vers son fils et lui dit.)* Allons, Thomas, avancez. Faites vos compliments [1].   10

---

1. *Compliment* : « Petite harangue qu'on fait à des personnes de marque » (Furetière). Il ne s'agit pas de simples politesses, mais d'un discours préparé : l'entrevue a été mise au point avec soin.

THOMAS DIAFOIRUS *est un grand*
benêt, nouvellement sorti des Écoles,
qui fait toutes choses de mauvaise
grâce et à contretemps

N'est-ce pas par le père qu'il convient commencer ?

MONSIEUR DIAFOIRUS

Oui.

THOMAS DIAFOIRUS

Monsieur, je viens saluer, reconnaître, ché-
5   rir, et révérer en vous un second père ; mais un
second père auquel j'ose dire que je me trouve
plus redevable qu'au premier[1]. Le premier m'a
engendré ; mais vous m'avez choisi. Il m'a
reçu par nécessité ; mais vous m'avez accepté
10 par grâce. Ce que je tiens de lui est un ouvrage
de son corps ; mais ce que je tiens de vous est
un ouvrage de votre volonté ; et d'autant plus
que les facultés spirituelles sont au-dessus des
corporelles, d'autant plus je vous dois, et d'au-

---

1. Thomas Diafoirus s'inspire soit directement, soit (et c'est
plus probable) par l'intermédiaire de quelque recueil de pensées
choisies, de Cicéron : «[je vous dois plus citoyens, qu'à mes
père et mère], par eux, j'ai été engendré, selon les lois nécessaires à la nature ; mais par vous, je suis né à la vie consu-
laire… » (*Ad quirites post reditum*).

tant plus je tiens précieuse cette future filia-
tion, dont je viens aujourd'hui vous rendre par
avance les très humbles et très respectueux
hommages.

TOINETTE

Vivent les collèges, d'où l'on sort si habile   5
homme !

THOMAS DIAFOIRUS

Cela a-t-il bien été, mon père ?

MONSIEUR DIAFOIRUS

Optime[1].

ARGAN, *à Angélique*

Allons, saluez Monsieur.

THOMAS DIAFOIRUS

Baiserai-je[2] ?   10

MONSIEUR DIAFOIRUS

Oui, oui.

---

1. Parfaitement bien.
2. Baise-main, ou baiser sur la joue ou sur les lèvres ? On
croirait beaucoup plus volontiers au baiser sur les lèvres. Non
seulement Thomas Diafoirus est en droit de considérer Angélique comme sa fiancée, mais le baiser sur les lèvres était une
politesse non extraordinaire à une dame à qui on était présenté.
Montaigne déplore cet usage (*Essais*, III, 5).

THOMAS DIAFOIRUS, *à Angélique*

Madame, c'est avec justice que le Ciel vous a concédé le nom de belle-mère, puisque l'on…

ARGAN

Ce n'est pas ma femme, c'est ma fille à qui vous parlez.

THOMAS DIAFOIRUS

5   Où donc est-elle ?

ARGAN

Elle va venir.

THOMAS DIAFOIRUS

Attendrai-je, mon père, qu'elle soit venue ?

MONSIEUR DIAFOIRUS

Faites toujours le compliment de Mademoiselle.

THOMAS DIAFOIRUS

10   Mademoiselle, ne plus ne[1] moins que la statue de Memnon[2] rendait un son harmonieux,

1. *Ne* pour *ni* paraît ou archaïque ou paysan.
2. C'est une très haute statue (18 m) à laquelle une autre semblable fait pendant. Elle est située à Thèbes, au commencement de l'allée qui conduisait au temple d'Aménophis III. Au

lorsqu'elle venait à être éclairée des rayons du
soleil : tout de même me sens-je animé d'un
doux transport à l'apparition du soleil de vos
beautés. Et comme les naturalistes remarquent
que la fleur nommée héliotrope[1] tourne sans   5
cesse vers cet astre du jour, aussi mon cœur
dores-en-avant[2] tournera-t-il toujours vers les
astres resplendissants de vos yeux adorables,
ainsi que vers son pôle unique. Souffrez donc,
Mademoiselle, que j'appende[3] aujourd'hui à   10
l'autel de vos charmes l'offrande de ce cœur,
qui ne respire ni n'ambitionne autre gloire,
que d'être toute sa vie, Mademoiselle, votre
très humble, très obéissant et très fidèle serviteur et mari.   15

---

lever du soleil, la pierre, en s'échauffant, faisait entendre un son
musical. Un orateur devant un grand personnage disait volontiers qu'il ne tenait que de lui son éloquence, comme la statue
de Memnon devait au soleil sa voix. La comparaison était donc
devenue un lieu commun. Je soupçonne Thomas Diafoirus
d'avoir pris ces belles comparaisons dans l'un des nombreux
recueils d'emblèmes du xviie siècle. En particulier la comparaison avec la fleur nommée héliotrope pourrait venir de Camera-
rius, *Symbolorum et emblematum ex re herbaria desumptorum
centuria* (Emblème 49).

   1. L'héliotrope, comme le nom l'indique, tourne sa face vers
le soleil.

   2. «*Doresnavant*, ou *doresenavant* […] ce mot doresenavant
vieillit et est composé de ces mots dores et en avant» (Furetière). Non seulement Thomas Diafoirus emploie un mot qui
vieillit, mais il souligne sa composition en articulant de façon
pédantesque.

   3. *Appendre* : suspendre.

TOINETTE, *en le raillant*

Voilà ce que c'est que d'étudier, on apprend à dire de belles choses.

ARGAN

Eh ! que dites-vous de cela ?

CLÉANTE

5 Que Monsieur fait merveilles, et que s'il est aussi bon médecin qu'il est bon orateur, il y aura plaisir à être de ses malades.

TOINETTE

Assurément. Ce sera quelque chose d'admirable s'il fait d'aussi belles cures qu'il fait de beaux discours.

ARGAN

10 Allons vite ma chaise, et des sièges à tout le monde. Mettez-vous là, ma fille. Vous voyez, Monsieur, que tout le monde admire Monsieur votre fils, et je vous trouve bien heureux de vous voir un garçon comme cela.

MONSIEUR DIAFOIRUS

15 Monsieur, ce n'est pas parce que je suis son père, mais je puis dire que j'ai sujet d'être

content de lui, et que tous ceux qui le voient
en parlent comme d'un garçon qui n'a point
de méchanceté. Il n'a jamais eu l'imagination
bien vive, ni ce feu d'esprit qu'on remarque
dans quelques-uns ; mais c'est par là que j'ai   5
toujours bien auguré de sa judiciaire[1], qualité
requise pour l'exercice de notre art. Lorsqu'il
était petit, il n'a jamais été ce qu'on appelle
mièvre[2] et éveillé. On le voyait toujours doux,
paisible et taciturne, ne disant jamais mot, et   10
ne jouant jamais à tous ces petits jeux que l'on
nomme enfantins. On eut toutes les peines du
monde à lui apprendre à lire, et il avait neuf
ans, qu'il ne connaissait pas encore ses lettres.
« Bon, disais-je en moi-même, les arbres tar-   15
difs sont ceux qui portent les meilleurs fruits ;
on grave sur le marbre bien plus malaisé-
ment que sur le sable ; mais les choses y sont
conservées bien plus longtemps, et cette lenteur à comprendre, cette pesanteur d'imagi-   20
nation, est la marque d'un bon jugement à
venir. » Lorsque je l'envoyai au collège, il
trouva de la peine ; mais il se roidissait contre
les difficultés, et ses régents se louaient toujours à moi de son assiduité, et de son travail.   25

1. *Judiciaire* : jugement.
2. *Mièvre* : « Terme populaire qui se dit des enfants éveillés
ou emportés qui font toujours quelque niche ou quelque malice
aux autres » (Furetière).

Enfin, à force de battre le fer[1], il en est venu
glorieusement à avoir ses licences[2] ; et je puis
dire sans vanité que depuis deux ans[3] qu'il est
sur les bancs, il n'y a point de candidat qui ait
5 fait plus de bruit que lui dans toutes les disputes[4] de notre École. Il s'y est rendu redoutable, et il ne s'y passe point d'acte[5] où il
n'aille argumenter à outrance pour la proposition contraire. Il est ferme dans la dispute, fort
10 comme un Turc sur ses principes, ne démord
jamais de son opinion, et poursuit un raisonne-
ment jusque dans les derniers recoins de la
logique. Mais sur toute chose ce qui me plaît
de lui, et en quoi il suit mon exemple, c'est
15 qu'il s'attache aveuglément aux opinions de
nos anciens, et que jamais il n'a voulu com-

1. « S'exercer à tirer des armes chez des maîtres d'escrime et
en ce sens on dit figurément qu'un homme a longtemps *battu le
fer*, quand il s'est longtemps exercé en quelque art ou profes-
sion que ce soit » (Furetière).
2. *Licences* est normalement au pluriel au XVIIᵉ siècle.
« C'est le second degré qu'on prend dans les universités, tant en
théologie qu'en droit et en médecine, qui met au-dessus du
bachelier et au-dessous du docteur » (Furetière).
3. Thomas Diafoirus est bachelier depuis deux ans. Pendant
ces deux ans, il a assisté aux leçons, disputes et actes. À l'issue
de ces deux ans, lui ont été décernées ses licences. Reste à obtenir le grade de docteur.
4. *Dispute* a son sens technique de la langue universitaire :
les examens sont oraux, et prennent la forme de discussion entre
les examinateurs et l'examiné ; les autres étudiants peuvent
intervenir.
5. *Acte* au sens universitaire : une soutenance de thèse.

prendre ni écouter les raisons et les expériences des prétendues découvertes de notre siècle, touchant la circulation du sang[1], et autres opinions de même farine[2].

THOMAS DIAFOIRUS. *Il tire une grande thèse roulée[3] de sa poche, qu'il présente à Angélique.*

J'ai contre les circulateurs soutenu une thèse, 5
qu'avec la permission de Monsieur, j'ose pré-

1. La *circulation du sang* a été découverte par Harvey en 1619. La totalité des médecins n'a pas admis la découverte. Gui Patin est anticirculationniste. En 1670, en 1672 encore, des thèses anticirculationnistes sont soutenues à l'École de médecine de Paris. En 1671, *L'Arrêt burlesque* de Boileau, pour railler les anticirculationnistes, « fait défense au sang d'être plus vagabond, errer ni circuler dans le corps sous peine d'être entièrement livré et abandonné à la Faculté de Médecine ». En 1673, Louis XIV institue une chaire d'anatomie *pour la propagation des découvertes nouvelles*. Il ne l'établit pas à l'École de médecine, mais dans une institution nouvelle, le jardin des Plantes, pour tourner les résistances de l'École de médecine. Molière condamne avec Thomas Diafoirus une médecine conservatrice.

2. Les autres opinions *de même farine*, c'est-à-dire également novatrices, sont les autres nouveautés médico-pharmaceutiques auxquelles se réfère *L'Arrêt burlesque* : circulation du chyle (liquide de l'intestin grêle résultant de la digestion), emploi du quinquina (pour faire tomber la fièvre), etc.

3. La *thèse* n'est pas, comme de nos jours, une étude présentée pour l'obtention du doctorat. Des thèses sont présentées aux étapes antérieures de la carrière de l'étudiant : baccalauréat, licence. D'autre part, une thèse ne donne pas lieu à l'impression d'un volume mais seulement d'une manière d'affiche, ornée éventuellement d'une gravure. La « thèse » contient seulement le titre des questions qui seront soumises à discussion.

senter à Mademoiselle, comme un hommage
que je lui dois des prémices de mon esprit.

ANGÉLIQUE

Monsieur, c'est pour moi un meuble inutile,
et je ne me connais pas à ces choses-là.

TOINETTE

5   Donnez, donnez, elle est toujours bonne à
prendre pour l'image ; cela servira à parer notre
chambre.

THOMAS DIAFOIRUS

Avec la permission aussi de Monsieur, je
vous invite à venir voir l'un de ces jours, pour
10   vous divertir, la dissection[1] d'une femme, sur
quoi je dois raisonner.

TOINETTE

Le divertissement sera agréable. Il y en a
qui donnent la comédie à leurs maîtresses ;
mais donner une dissection est quelque chose
15   de plus galant.

---

1. On ne dissèque au XVIIᵉ siècle que les corps de criminels.
La dissection est faite par un barbier-chirurgien sous les ordres
du professeur. Un étudiant, choisi par ses camarades et nommé
archidiacre des écoles, récapitule la leçon en latin.

MONSIEUR DIAFOIRUS

Au reste, pour ce qui est des qualités
requises pour le mariage et la propagation, je
vous assure que, selon les règles de nos docteurs, il est tel qu'on le peut souhaiter, qu'il
possède en un degré louable la vertu prolifique   5
et qu'il est du tempérament qu'il faut pour
engendrer et procréer des enfants bien condi-
tionnés[1].

ARGAN

N'est-ce pas votre intention, Monsieur, de
le pousser à la cour, et d'y ménager pour lui   10
une charge de médecin ?

MONSIEUR DIAFOIRUS

À vous en parler franchement, notre métier
auprès des grands ne m'a jamais paru agréable,
et j'ai toujours trouvé qu'il valait mieux, pour
nous autres, demeurer au public. Le public   15
est commode. Vous n'avez à répondre de vos

---

1. *Propagation* : multiplication des êtres par la reproduction.
Le Livre de la génération de l'homme, très subtile et très néces-
saire à sçavoir [...] *recueilli par J. Sylvius et* [...] *mis en fran-*
çais par Guillaume Chrestien, Paris, Morel 1559, donne sur
cette question des détails fort précis. Encore faudrait-il que Diafoirus père eût soumis son fils à un examen prénuptial comportant les très curieuses expériences proposées.

actions à personne ; et pourvu que l'on suive le courant des règles de l'art, on ne se met point en peine de tout ce qui peut arriver. Mais ce qu'il y a de fâcheux auprès des grands, c'est que, quand ils viennent à être malades, ils veulent absolument que leurs médecins les guérissent.

TOINETTE

Cela est plaisant, et ils sont bien impertinents de vouloir que vous autres messieurs vous les guérissiez : vous n'êtes point auprès d'eux pour cela ; vous n'y êtes que pour recevoir vos pensions[1], et leur ordonner des remèdes ; c'est à eux de guérir s'ils peuvent.

MONSIEUR DIAFOIRUS

Cela est vrai. On n'est obligé qu'à traiter les gens dans les formes[2].

ARGAN, *à Cléante*

Monsieur, faites un peu chanter ma fille devant la compagnie.

1. Le médecin d'un grand est inscrit sur l'« état » de sa maison et reçoit une *pension* annuelle et non point un paiement fondé sur le nombre des actes médicaux.
2. Cf. *L'Amour médecin*, acte II, sc. v : « Vous aurez la consolation que votre fille sera morte dans les formes. »

CLÉANTE

J'attendais vos ordres, Monsieur, et il m'est venu en pensée, pour divertir la compagnie, de chanter avec Mademoiselle une scène d'un petit opéra qu'on a fait depuis peu. Tenez, voilà votre partie.

5

ANGÉLIQUE

Moi ?

CLÉANTE

Ne vous défendez point, s'il vous plaît, et me laissez vous faire comprendre ce que c'est que la scène que nous devons chanter. Je n'ai pas une voix à chanter ; mais ici il suffit que je me fasse entendre, et l'on aura la bonté de m'excuser par la nécessité où je me trouve de faire chanter Mademoiselle.

10

ARGAN

Les vers en sont-ils beaux ?

CLÉANTE

C'est proprement ici un petit opéra im-promptu[1], et vous n'allez entendre chanter que de la prose cadencée, ou des manières de

15

1. *Opéra impromptu* : opéra de forme libre, indéterminée.

vers libres, tels que la passion et la nécessité peuvent faire trouver à deux personnes qui disent les choses d'eux-mêmes, et parlent sur-le-champ.

ARGAN

5   Fort bien. Écoutons.

CLÉANTE, *sous le nom d'un berger,*
explique à sa maîtresse son amour
depuis leur rencontre, et ensuite
ils s'appliquent leurs pensées
l'un à l'autre en chantant[1]

Voici le sujet de la scène. Un Berger était attentif aux beautés d'un spectacle, qui ne faisait que commencer, lorsqu'il fut tiré de son attention par un bruit qu'il entendit à ses côtés.
10   Il se retourne, et voit un brutal, qui de paroles insolentes maltraitait une Bergère. D'abord il prend les intérêts d'un sexe à qui tous les hommes doivent hommage ; et après avoir donné au brutal le châtiment de son insolence,
15   il vient à la Bergère, et voit une jeune personne qui, des deux plus beaux yeux qu'il eût jamais vus, versait des larmes, qu'il trouva les plus belles du monde. « Hélas ! dit-il en lui-même,

---

1. Dans le *Don Bertrand de Cigarral* de Thomas Corneille (1650), un amant raconte de même à son amante leurs propres amours devant le père et le prétendu ridicule (acte II, sc. IV).

est-on capable d'outrager une personne si
aimable? Et quel inhumain, quel barbare ne
serait touché par de telles larmes?» Il prend
soin de les arrêter, ces larmes, qu'il trouve si
belles; et l'aimable Bergère prend soin en
même temps de le remercier de son léger service, mais d'une manière si charmante, si
tendre, et si passionnée, que le Berger n'y peut
résister; et chaque mot, chaque regard, est un
trait plein de flamme, dont son cœur se sent
pénétré. «Est-il, disait-il, quelque chose qui
puisse mériter les aimables paroles d'un tel
remerciement? Et que ne voudrait-on pas
faire, à quels services, à quels dangers, ne
serait-on pas ravi de courir, pour s'attirer un
seul moment des touchantes douceurs d'une
âme si reconnaissante?» Tout le spectacle
passe sans qu'il y donne aucune attention;
mais il se plaint qu'il est trop court, parce
qu'en finissant il le sépare de son adorable
Bergère; et de cette première vue, de ce premier moment, il emporte chez lui tout ce qu'un
amour de plusieurs années peut avoir de plus
violent. Le voilà aussitôt à sentir tous les maux
de l'absence, et il est tourmenté de ne plus voir
ce qu'il a si peu vu. Il fait tout ce qu'il peut
pour se redonner cette vue, dont il conserve,
nuit et jour, une si chère idée; mais la grande
contrainte où l'on tient sa Bergère lui en ôte

tous les moyens. La violence de sa passion le
fait résoudre à demander en mariage l'adorable
beauté sans laquelle il ne peut plus vivre, et il
en obtient d'elle la permission par un billet
5 qu'il a l'adresse de lui faire tenir. Mais dans le
même temps on l'avertit que le père de cette
belle a conclu son mariage avec un autre, et
que tout se dispose pour en célébrer la cérémonie. Jugez quelle atteinte cruelle au cœur de ce
10 triste Berger. Le voilà accablé d'une mortelle
douleur. Il ne peut souffrir l'effroyable idée de
voir tout ce qu'il aime entre les bras d'un
autre ; et son amour au désespoir lui fait trouver moyen de s'introduire dans la maison de
15 sa Bergère, pour apprendre ses sentiments et
savoir d'elle la destinée à laquelle il doit se
résoudre. Il y rencontre les apprêts de tout
ce qu'il craint ; il y voit venir l'indigne rival
que le caprice d'un père oppose aux tendresses
20 de son amour. Il le voit triomphant, ce rival
ridicule, auprès de l'aimable Bergère, ainsi
qu'auprès d'une conquête qui lui est assurée ;
et cette vue le remplit d'une colère, dont il a
peine à se rendre le maître. Il jette de doulou-
25 reux regards sur celle qu'il adore ; et son respect, et la présence de son père l'empêchent de
lui rien dire que des yeux. Mais enfin il force
toute contrainte, et le transport de son amour
l'oblige à lui parler ainsi *(il chante)* :

Belle Philis[1], c'est trop, c'est trop souffrir ;
Rompons ce dur silence, et m'ouvrez vos
                              [pensées.
          Apprenez-moi ma destinée :
          Faut-il vivre ? Faut-il mourir ?

ANGÉLIQUE *répond en chantant*

Vous me voyez, Tircis, triste et   5
                              [mélancolique,
Aux apprêts de l'hymen dont vous vous
                              [alarmez :
Je lève au ciel les yeux, je vous regarde, je
                              [soupire,
          C'est vous en dire assez.

ARGAN

Ouais ! je ne croyais pas que ma fille fût si
habile que de chanter ainsi à livre ouvert, sans   10
hésiter.

CLÉANTE

Hélas ! belle Philis,
Se pourrait-il que l'amoureux Tircis
          Eût assez de bonheur,
Pour avoir quelque place dans votre cœur ?   15

_____

1. Sur ces personnages, voir la note 2, p. 28.

ANGÉLIQUE

Je ne m'en défends point dans cette peine
                              [extrême :
          Oui, Tircis, je vous aime.

CLÉANTE

Ô parole pleine d'appas !
Ai-je bien entendu, hélas !
5   *Redites-la, Philis, que je n'en doute pas.*

ANGÉLIQUE

Oui, Tircis, je vous aime.

CLÉANTE

De grâce, encor, Philis.

ANGÉLIQUE

Je vous aime.

CLÉANTE

Recommencez cent fois, ne vous en lassez pas.

ANGÉLIQUE

10   *Je vous aime, je vous aime,*
          Oui, Tircis, je vous aime.

CLÉANTE

Dieux, rois, qui sous vos pieds regardez tout
[*le monde,*
Pouvez-vous comparer votre bonheur au mien ?
Mais, Philis, une pensée
Vient troubler ce doux transport :
Un rival, un rival...   5

ANGÉLIQUE

Ah ! je le hais plus que la mort ;
Et sa présence, ainsi qu'à vous,
M'est un cruel supplice.

CLÉANTE

Mais un père à ses vœux vous veut assujettir.

ANGÉLIQUE

Plutôt, plutôt mourir,   10
Que de jamais y consentir ;
Plutôt, plutôt mourir, plutôt mourir.

ARGAN

Et que dit le père à tout cela ?

CLÉANTE

Il ne dit rien.

ARGAN

Voilà un sot père que ce père-là, de souffrir toutes ces sottises-là sans rien dire.

CLÉANTE

Ah ! mon amour...

ARGAN

Non, non, en voilà assez. Cette comédie-là
5　est de fort mauvais exemple. Le berger Tircis est un impertinent, et la bergère Philis une impudente, de parler de la sorte devant son père. Montrez-moi ce papier. Ha, ha. Où sont donc les paroles que vous avez dites ? Il n'y a
10　là que de la musique écrite ?

CLÉANTE

Est-ce que vous ne savez pas, Monsieur, qu'on a trouvé depuis peu l'invention d'écrire les paroles avec les notes mêmes ?

ARGAN

Fort bien. Je suis votre serviteur[1], Mon-
15　sieur ; jusqu'au revoir. Nous nous serions bien passés de votre impertinent d'opéra.

---

1. Formule pour congédier. Voir note 3, p. 46.

CLÉANTE

J'ai cru vous divertir.

ARGAN

Les sottises ne divertissent point. Ah ! voici ma femme.

SCÈNE VI

BÉLINE, ARGAN, TOINETTE, ANGÉLIQUE,
MONSIEUR DIAFOIRUS, THOMAS DIAFOIRUS

ARGAN

Mamour, voilà le fils de Monsieur Dia-
foirus.   5

THOMAS DIAFOIRUS *commence*
un compliment qu'il avait étudié,
et la mémoire lui manquant,
il ne peut le continuer

Madame, c'est avec justice que le Ciel vous
a concédé le nom de belle-mère, puisque l'on
voit sur votre visage…

BÉLINE

Monsieur, je suis ravie d'être venue ici à propos pour avoir l'honneur de vous voir.

THOMAS DIAFOIRUS

Puisque l'on voit sur votre visage… puisque l'on voit sur votre visage… Madame, vous m'avez interrompu dans le milieu de ma période[1], et cela m'a troublé la mémoire.

MONSIEUR DIAFOIRUS

Thomas, réservez cela pour une autre fois.

ARGAN

Je voudrais, mamie, que vous eussiez été ici tantôt.

TOINETTE

Ah! Madame, vous avez bien perdu de n'avoir point été au second père, à la statue de Memnon, et à la fleur nommée héliotrope.

ARGAN

Allons, ma fille, touchez dans la main[2] de Monsieur, et lui donnez votre foi, comme à votre mari.

---

1. *Période* : phrase construite sur plusieurs propositions harmonieusement enchaînées.
2. Au XVIIᵉ siècle, la poignée de main ne s'emploie pas pour

ANGÉLIQUE

Mon père.

ARGAN

Hé bien ! « Mon père ? » Qu'est-ce que cela veut dire ?

ANGÉLIQUE

De grâce, ne précipitez pas les choses. Donnez-moi au moins le temps de nous connaître,   5
et de voir naître en nous l'un pour l'autre cette
inclination si nécessaire à composer une union
parfaite.

THOMAS DIAFOIRUS

Quant à moi, Mademoiselle, elle est déjà
toute née en moi, et je n'ai pas besoin d'at-   10
tendre davantage.

ANGÉLIQUE

Si vous êtes si prompt, Monsieur, il n'en est
pas de même de moi, et je vous avoue que
votre mérite n'a pas encore fait assez d'impression dans mon âme.   15

—————
une simple politesse, mais pour sceller un accord d'amitié, de
fiançailles, ou d'affaires.

ARGAN

Ho bien, bien ! cela aura tout le loisir de se
faire quand vous serez mariés ensemble.

ANGÉLIQUE

Eh ! mon père, donnez-moi du temps, je
vous prie. Le mariage est une chaîne où l'on
5 ne doit jamais soumettre un cœur par force ;
et si Monsieur est honnête homme, il ne doit
point vouloir accepter une personne qui serait
à lui par contraire.

THOMAS DIAFOIRUS

Nego consequentiam[1], Mademoiselle, et je
10 puis être honnête et vouloir bien vous accepter
des mains de Monsieur votre père.

ANGÉLIQUE

C'est un méchant moyen de se faire aimer
de quelqu'un que de lui faire violence.

THOMAS DIAFOIRUS

Nous lisons des anciens, Mademoiselle, que
15 leur coutume était d'enlever par force de la maison des pères les filles qu'on menait marier,

---

1. Je nie la conséquence. La formule vient de ces disputes
d'école, en latin, dans lesquelles Thomas Diafoirus se distingue.

afin qu'il ne semblât pas que ce fût de leur
consentement qu'elles convolaient dans les
bras d'un homme.

ANGÉLIQUE

Les anciens, Monsieur, sont les anciens, et
nous sommes les gens de maintenant. Les gri-   5
maces[1] ne sont point nécessaires dans notre
siècle ; et quand un mariage nous plaît, nous
savons fort bien y aller, sans qu'on nous y
traîne. Donnez-vous patience : si vous m'aimez, Monsieur, vous devez vouloir tout ce   10
que je veux.

THOMAS DIAFOIRUS

Oui, Mademoiselle, jusqu'aux intérêts de
mon amour exclusivement.

ANGÉLIQUE

Mais la grande marque d'amour, c'est d'être
soumis aux volontés de celle qu'on aime.   15

THOMAS DIAFOIRUS

Distinguo, Mademoiselle : dans ce qui ne
regarde point sa possession, *concedo* ; mais
dans ce qui la regarde, *nego*[2].

1. *Grimaces* : voir note 1, p. 61.
2. Je distingue, je nie, je concède. Vocabulaire de la « dispute » comme ci-dessus.

TOINETTE

Vous avez beau raisonner : Monsieur est frais
émoulu du collège, et il vous donnera toujours
votre reste[1]. Pourquoi tant résister, et refuser la
gloire d'être attachée au corps de la Faculté ?

BÉLINE

5   Elle a peut-être quelque inclination en tête.

ANGÉLIQUE

Si j'en avais, Madame, elle serait telle que
la raison et l'honnêteté pourraient me la per-
mettre.

ARGAN

Ouais ! je joue ici un plaisant personnage.

BÉLINE

10   Si j'étais que de vous[2], mon fils, je ne la
forcerais point à se marier, et je sais bien ce
que je ferais.

ANGÉLIQUE

Je sais, Madame, ce que vous voulez dire et
les bontés que vous avez pour moi ; mais peut-

---

1. « Cet homme joue mieux que vous, il vous donnera votre
reste » (Furetière).
2. *Si j'étais que de vous* : si j'étais à votre place.

être que vos conseils ne seront pas assez heureux pour être exécutés.

BÉLINE

C'est que les filles bien sages et bien honnêtes, comme vous, se moquent d'être obéis-
santes, et soumises aux volontés de leurs pères.   5
Cela était bon autrefois.

ANGÉLIQUE

Le devoir d'une fille a des bornes, Madame,
et la raison et les lois ne l'étendent point à
toutes sortes de choses.

BÉLINE

C'est-à-dire que vos pensées ne sont que   10
pour le mariage ; mais vous voulez choisir un
époux à votre fantaisie.

ANGÉLIQUE

Si mon père ne veut pas me donner un mari
qui me plaise, je le conjurerai au moins de
ne me point forcer à en épouser un que je ne   15
puisse pas aimer[1].

---

1. Cette plainte et cette proposition d'Angélique font écho à
ce que dit Mariane à Orgon (*Le Tartuffe*, v. 1287-1292). Les
deux jeunes filles, qui risquent d'être des mal mariées, trouvent
naturellement dans la similitude de leur situation des accents
analogues.

ARGAN

Messieurs, je vous demande pardon de tout
ceci.

ANGÉLIQUE

Chacun a son but en se mariant. Pour moi,
qui ne veux un mari que pour l'aimer véri-
5   tablement, et qui prétends en faire tout l'attachement de ma vie, je vous avoue que j'y
cherche quelque précaution. Il y en a d'au-
cunes qui prennent des maris seulement pour
se tirer de la contrainte de leurs parents, et se
10   mettre en état de faire tout ce qu'elles vou-
dront. Il y en a d'autres, Madame, qui font du
mariage un commerce de pur intérêt, qui ne se
marient que pour gagner des douaires[1], que
pour s'enrichir par la mort de ceux qu'elles
15   épousent, et courent sans scrupule de mari en
mari, pour s'approprier leurs dépouilles. Ces
personnes-là, à la vérité, n'y cherchent pas
tant de façons, et regardent peu la personne.

---

1. Le *douaire* : les biens qu'un mari prévoit de laisser à sa
femme s'il meurt avant elle. Angélique n'a apparemment pas
encore compris que Béline veut plus qu'un douaire normal,
mais bien la totalité ou au moins la quotité disponible [la moitié
légale] des biens d'Argan.

BÉLINE

Je vous trouve aujourd'hui bien raisonnante,
et je voudrais bien savoir ce que vous voulez
dire par là.

ANGÉLIQUE

Moi, Madame, que voudrais-je dire que ce
que je dis ?   5

BÉLINE

Vous êtes si sotte, mamie, qu'on ne saurait
plus vous souffrir.

ANGÉLIQUE

Vous voudriez bien, Madame, m'obliger à
vous répondre quelque impertinence ; mais je
vous avertis que vous n'aurez pas cet avantage.   10

BÉLINE

Il n'est rien d'égal à votre insolence.

ANGÉLIQUE

Non, Madame, vous avez beau dire.

BÉLINE

Et vous avez un ridicule orgueil, une impertinente présomption qui fait hausser les épaules
à tout le monde.   15

ANGÉLIQUE

Tout cela, Madame, ne servira de rien. Je serai sage en dépit de vous ; et pour vous ôter l'espérance de pouvoir réussir dans ce que vous voulez, je vais m'ôter de votre vue.

ARGAN

5 Écoute, il n'y a point de milieu à cela : choisis d'épouser dans quatre jours, ou Monsieur, ou un convent. Ne vous mettez pas en peine, je la rangerai[1] bien.

BÉLINE

Je suis fâchée de vous quitter, mon fils, 10 mais j'ai une affaire en ville, dont je ne puis me dispenser. Je reviendrai bientôt.

ARGAN

Allez, mamour, et passez chez votre notaire, afin qu'il expédie ce que vous savez.

BÉLINE

Adieu, mon petit ami.

ARGAN

15 Adieu, mamie. Voilà une femme qui m'aime… cela n'est pas croyable.

---

1. *Ranger* : obliger à obéir.

MONSIEUR DIAFOIRUS

Nous allons, Monsieur, prendre congé de vous.

ARGAN

Je vous prie, Monsieur, de me dire un peu comment je suis.

MONSIEUR DIAFOIRUS *lui tâte le pouls*

Allons, Thomas, prenez l'autre bras de Mon- 5
sieur, pour voir si vous saurez porter un bon jugement de son pouls. *Quid dicis*[1] ?

THOMAS DIAFOIRUS

Dico que le pouls de Monsieur est le pouls d'un homme qui ne se porte point bien.

MONSIEUR DIAFOIRUS

Bon. 10

THOMAS DIAFOIRUS

Qu'il est duriuscule[2], pour ne pas dire dur.

MONSIEUR DIAFOIRUS

Fort bien.

1. Que dis-tu ?
2. Un peu dur (du latin *duriusculus*).

THOMAS DIAFOIRUS

Repoussant[1].

MONSIEUR DIAFOIRUS

Bene.

THOMAS DIAFOIRUS

Et même un peu caprisant[2].

MONSIEUR DIAFOIRUS

Optime.

THOMAS DIAFOIRUS

5   Ce qui marque une intempérie[3] dans le *parenchyme splénique*[4], c'est-à-dire la rate.

---

1. Le mot n'est pas dans les dictionnaires du XVIIe siècle. Le pouls est assez fort pour repousser le doigt.
2. *Caprisant* : pouls interrompu au milieu de sa diastole (dilatation) et qui s'achève ensuite précipitamment.
3. « Défaut d'un juste tempérament des qualités requises en certaines choses [...]. L'*intempérie* des humeurs est la source des maladies » (Furetière).
4. Les *parenchymes* sont les organes dans lesquels afflue le sang. « Terme de médecine qui se dit des parties formées de sang, et qui sont comme un amas et une affusion de sang. Ainsi, on dit que le foie est le premier des parenchymes, parce que c'est là que la veine ombilicale verse premièrement le sang dans le fœtus. Le cœur est le second, puis le poumon, la rate, et les rognons » (Furetière). *Splénique* : de la rate. *Parenchyme splénique* : la rate.

MONSIEUR DIAFOIRUS

Fort bien.

ARGAN

Non : Monsieur Purgon dit que c'est mon foie qui est malade.

MONSIEUR DIAFOIRUS

Eh ! oui : qui dit *parenchyme*, dit l'un et l'autre, à cause de l'étroite sympathie qu'ils ont ensemble, par le moyen du *vas breve du pylore*, et souvent des *méats cholidoques*[1]. Il vous ordonne sans doute de manger force rôti ?

ARGAN

Non, rien que du bouilli.

MONSIEUR DIAFOIRUS

Eh ! oui : rôti, bouilli, même chose. Il vous ordonne fort prudemment, et vous ne pouvez être en de meilleures mains.

---

1. Le *vas breve* est situé au fond de l'estomac. Le *pylore* est l'orifice inférieur de l'estomac. Les *méats cholidoques* amènent la bile dans le duodénum (partie supérieure de l'intestin, sous l'estomac et où débouche le cholidoque).

ARGAN

Monsieur, combien est-ce qu'il faut mettre de grains de sel dans un œuf ?

MONSIEUR DIAFOIRUS

Six, huit, dix, par les nombres pairs ; comme dans les médicaments, par les nombres im-
5 pairs[1].

ARGAN

Jusqu'au revoir, Monsieur.

SCÈNE VII

BÉLINE, ARGAN

BÉLINE

Je viens, mon fils, avant que de sortir, vous donner avis d'une chose à laquelle il faut que vous preniez garde. En passant par-devant
10 la chambre d'Angélique, j'ai vu un jeune

---

1. L'usage de donner des doses de médicaments en nombre impair est attesté par Montaigne (*Essais*, II, 37). Le second médecin de M. de Pourceaugnac veut lui administrer purgations et saignées en nombre impair. Reste de pensée magique.

homme avec elle, qui s'est sauvé d'abord qu'il
m'a vue[1].

ARGAN

Un jeune homme avec ma fille ?

BÉLINE

Oui. Votre petite fille Louison était avec
eux, qui pourra vous en dire des nouvelles.   5

ARGAN

Envoyez-la ici, mamour, envoyez-la ici. Ah,
l'effrontée ! je ne m'étonne plus de sa résistance.

SCÈNE VIII

LOUISON, ARGAN

LOUISON

Qu'est-ce que vous voulez, mon papa ? Ma
belle-maman m'a dit que vous me demandez.   10

ARGAN

Oui, venez çà, avancez là. Tournez-vous,
levez les yeux, regardez-moi. Eh !

---

1. *D'abord que* : dès que...

LOUISON

Quoi, mon papa ?

ARGAN

Là.

LOUISON

Quoi ?

ARGAN

N'avez-vous rien à me dire ?

LOUISON

5   Je vous dirai, si vous voulez, pour vous désennuyer, le conte de *Peau d'âne*[1], ou bien la fable du *Corbeau et du Renard*[2], qu'on m'a apprise depuis peu.

ARGAN

Ce n'est pas là ce que je demande.

LOUISON

10   Quoi donc ?

---

1. Le conte de *Peau d'Âne* se transmet par tradition populaire et sans doute aussi par les livres de colportage, les *Contes bleus*. Perrault le transcrira en 1694.
2. La fable du *Corbeau et du Renard* a paru dans le premier recueil des *Fables* de La Fontaine en 1668.

ARGAN

Ah ! rusée, vous savez bien ce que je veux dire.

LOUISON

Pardonnez-moi, mon papa.

ARGAN

Est-ce là comme vous m'obéissez ?

LOUISON

Quoi ?   5

ARGAN

Ne vous ai-je pas recommandé de me venir dire d'abord tout ce que vous voyez ?

LOUISON

Oui, mon papa.

ARGAN

L'avez-vous fait ?

LOUISON

Oui, mon papa. Je vous suis venue dire tout   10
ce que j'ai vu.

ARGAN

Et n'avez-vous rien vu aujourd'hui ?

LOUISON

Non, mon papa.

ARGAN

Non ?

LOUISON

Non, mon papa.

ARGAN

5   Assurément ?

LOUISON

Assurément.

ARGAN

Oh çà ! je m'en vais vous faire voir quelque chose, moi.

Il va prendre une poignée de verges[1].

---

1. *Verges* : instrument de punition, qui se présentait sous la forme d'une petite baguette ou, comme c'est le cas ici, d'une poignée de brindilles.

LOUISON

Ah ! mon papa.

ARGAN

Ah, ah ! petite masque[1], vous ne me dites pas que vous avez vu un homme dans la chambre de votre sœur ?

LOUISON

Mon papa !   5

ARGAN

Voici qui vous apprendra à mentir.

LOUISON *se jette à genoux*

Ah ! mon papa, je vous demande pardon. C'est que ma sœur m'avait dit de ne pas vous le dire ; mais je m'en vais vous dire tout.

ARGAN

Il faut premièrement que vous ayez le fouet   10
pour avoir menti. Puis après nous verrons au reste.

---

1. *Petite masque* : « Terme injurieux qu'on dit aux femmes du commun peuple pour leur reprocher leur laideur ou leur vieillesse » (Furetière).

LOUISON

Pardon, mon papa !

ARGAN

Non, non.

LOUISON

Mon pauvre papa, ne me donnez pas le
fouet !

ARGAN

5   Vous l'aurez.

LOUISON

Au nom de Dieu ! mon papa, que je ne l'aie
pas.

ARGAN, *la prenant pour la fouetter*

Allons, allons.

LOUISON

Ah ! mon papa, vous m'avez blessée. Atten-
10   dez : je suis morte. *(Elle contrefait la morte.)*

ARGAN

Holà ! Qu'est-ce là ? Louison, Louison. Ah,
mon Dieu ! Louison. Ah ! ma fille ! Ah ! mal-

heureux, ma pauvre fille est morte. Qu'ai-je fait, misérable ! Ah ! chiennes de verges. La peste soit des verges ! Ah ! ma pauvre fille, ma pauvre petite Louison.

LOUISON

Là, là, mon papa, ne pleurez point tant, je ne suis pas morte tout à fait.

ARGAN

Voyez-vous la petite rusée ? Oh çà, çà ! je vous pardonne pour cette fois-ci, pourvu que vous me disiez bien tout.

LOUISON

Ho ! oui, mon papa.

ARGAN

Prenez-y bien garde au moins, car voilà un petit doigt qui sait tout, qui me dira si vous mentez.

LOUISON

Mais, mon papa, ne dites pas à ma sœur que je vous l'ai dit.

ARGAN

Non, non.

LOUISON

C'est, mon papa, qu'il est venu un homme
dans la chambre de ma sœur comme j'y étais.

ARGAN

Hé bien ?

LOUISON

Je lui ai demandé ce qu'il demandait, et il
5   m'a dit qu'il était son maître à chanter.

ARGAN

Hon, hon. Voilà l'affaire. Hé bien ?

LOUISON

Ma sœur est venue après.

ARGAN

Hé bien ?

LOUISON

Elle lui a dit : « Sortez, sortez, sortez, mon
10 Dieu ! sortez ; vous me mettez au désespoir. »

ARGAN

Hé bien ?

LOUISON

Et lui, il ne voulait pas sortir.

ARGAN

Qu'est-ce qu'il lui disait?

LOUISON

Il lui disait je ne sais combien de choses.

ARGAN

Et quoi encore?

LOUISON

Il lui disait tout ci, tout ça, qu'il l'aimait 5
bien, et qu'elle était la plus belle du monde.

ARGAN

Et puis après?

LOUISON

Et puis après, il se mettait à genoux devant
elle.

ARGAN

Et puis après? 10

LOUISON

Et puis après, il lui baisait les mains.

ARGAN

Et puis après ?

LOUISON

Et puis après, ma belle-maman est venue à la porte, et il s'est enfui.

ARGAN

Il n'y a point autre chose ?

LOUISON

5   Non, mon papa.

ARGAN

Voilà mon petit doigt pourtant qui gronde quelque chose. *(Il met son doigt à son oreille.)* Attendez. Eh ! ah, ah ! oui ? Oh, oh ! voilà mon petit doigt qui me dit quelque chose que vous
10   avez vu, et que vous ne m'avez pas dit.

LOUISON

Ah ! mon papa, votre petit doigt est un menteur.

ARGAN

Prenez garde.

LOUISON

Non, mon papa, ne le croyez pas, il ment, je
vous assure.

ARGAN

Oh bien, bien! nous verrons cela. Allez-
vous-en, et prenez bien garde à tout : allez.
Ah! il n'y a plus d'enfants. Ah! que d'af-   5
faires! je n'ai pas seulement le loisir de songer à ma maladie. En vérité, je n'en puis plus.

Il se remet dans sa chaise.

SCÈNE IX

BÉRALDE, ARGAN

BÉRALDE

Hé bien! mon frère, qu'est-ce? comment
vous portez-vous?

ARGAN

Ah! mon frère, fort mal.   10

BÉRALDE

Comment « fort mal »?

ARGAN

Oui, je suis dans une faiblesse si grande que cela n'est pas croyable.

BÉRALDE

Voilà qui est fâcheux.

ARGAN

Je n'ai pas seulement la force de pouvoir
5 parler.

BÉRALDE

J'étais venu ici, mon frère, vous proposer un parti pour ma nièce Angélique.

ARGAN, *parlant avec emportement,*
et se levant de sa chaise

Mon frère, ne me parlez point de cette coquine-là. C'est une friponne, une imperti-
10 nente, une effrontée, que je mettrai dans un convent avant qu'il soit deux jours.

BÉRALDE

Ah ! voilà qui est bien : je suis bien aise que la force vous revienne un peu, et que ma visite vous fasse du bien. Oh çà ! nous parlerons d'affaires tantôt. Je vous amène ici un divertissement, que j'ai rencontré, qui dissipera votre chagrin, et vous rendra l'âme mieux disposée aux choses que nous avons à dire. Ce sont des Égyptiens, vêtus en Mores, qui font des danses mêlées de chansons, où je suis sûr que vous prendrez plaisir ; et cela vaudra bien une ordonnance de Monsieur Purgon. Allons.

SECOND INTERMÈDE

Le frère du Malade imaginaire lui amène, pour le divertir, plusieurs Égyptiens et Égyptiennes, vêtus en Mores, qui font des danses entremêlées de chansons.

PREMIÈRE FEMME MORE

Profitez du printemps
De vos beaux ans,
Aimable jeunesse ;
Profitez du printemps
De vos beaux ans,
Donnez-vous à la tendresse.

Les plaisirs les plus charmants,
Sans l'amoureuse flamme,
Pour contenter une âme
N'ont point d'attraits assez puissants.

Profitez du printemps
      De vos beaux ans,
   Aimable jeunesse ;
Profitez du printemps
      De vos beaux ans,
Donnez-vous à la tendresse.

Ne perdez point ces précieux moments :
      La beauté passe,
      Le temps l'efface,
      L'âge de glace
      Vient à sa place,
Qui nous ôte le goût de ces doux passe-temps.

Profitez du printemps
      De vos beaux ans,
   Aimable jeunesse ;
Profitez du printemps
      De vos beaux ans,
Donnez-vous à la tendresse.

SECONDE FEMME MORE

Quand d'aimer on nous presse
      À quoi songez-vous ?
Nos cœurs, dans la jeunesse,
      N'ont vers la tendresse
      Qu'un penchant trop doux ;
L'amour a pour nous prendre
      De si doux attraits,

Que de soi, sans attendre,
On voudrait se rendre
À ses premiers traits[1] :
Mais tout ce qu'on écoute
Des vives douleurs   5
Et des pleurs
Qu'il nous coûte
Fait qu'on en redoute
Toutes les douceurs.

TROISIÈME FEMME MORE

Il est doux, à notre âge,   10
D'aimer tendrement
Un amant
Qui s'engage :
Mais s'il est volage,
Hélas ! quel tourment !   15

QUATRIÈME FEMME MORE

L'amant qui se dégage
N'est pas le malheur :
La douleur
Et la rage,
C'est que le volage   20
Garde notre cœur.

---

1. *Traits* : signes significatifs, distinctifs.

SECONDE FEMME MORE

Quel parti faut-il prendre
Pour nos jeunes cœurs ?

QUATRIÈME FEMME MORE

Devons-nous nous y rendre
Malgré ses rigueurs ?

ENSEMBLE

5 *Oui, suivons nos ardeurs,*
Ses transports, ses caprices,
Ses douces langueurs ;
S'il a quelques supplices,
Il a cent délices
10 *Qui charment les cœurs.*

ENTRÉE DE BALLET

Tous les Mores dansent ensemble, et font
sauter des singes qu'ils ont amenés avec eux.

ACTE III

SCÈNE PREMIÈRE

BÉRALDE, ARGAN, TOINETTE

BÉRALDE

Hé bien ! mon frère, qu'en dites-vous ? cela ne vaut-il pas bien une prise de casse ?

TOINETTE

Hon, de bonne casse est bonne.

BÉRALDE

Oh çà ! voulez-vous que nous parlions un peu ensemble ?

ARGAN

Un peu de patience, mon frère, je vais revenir.

5

TOINETTE

Tenez, Monsieur, vous ne songez pas que vous ne sauriez marcher sans bâton.

ARGAN

Tu as raison.

SCÈNE II

BÉRALDE, TOINETTE

TOINETTE

N'abandonnez pas, s'il vous plaît, les inté-
5   rêts de votre nièce.

BÉRALDE

J'emploierai toutes choses pour lui obtenir ce qu'elle souhaite.

TOINETTE

Il faut absolument empêcher ce mariage extravagant qu'il s'est mis dans la fantaisie, et
10   j'avais songé en moi-même que ç'aurait été une bonne affaire de pouvoir introduire ici un médecin à notre poste[1], pour le dégoûter de son

1. À notre gré.

Monsieur Purgon, et lui décrier sa conduite. Mais, comme nous n'avons personne en main pour cela, j'ai résolu de jouer un tour de ma tête.

BÉRALDE

Comment ?

5

TOINETTE

C'est une imagination burlesque. Cela sera peut-être plus heureux que sage. Laissez-moi faire : agissez de votre côté. Voici notre homme.

SCÈNE III

ARGAN, BÉRALDE

BÉRALDE

Vous voulez bien, mon frère, que je vous demande, avant toute chose, de ne vous point échauffer l'esprit dans notre conversation.

10

ARGAN

Voilà qui est fait.

BÉRALDE

De répondre sans nulle aigreur aux choses que je pourrai vous dire.

ARGAN

Oui.

BÉRALDE

5 Et de raisonner ensemble, sur les affaires dont nous avons à parler, avec un esprit détaché de toute passion.

ARGAN

Mon Dieu! oui. Voilà bien du préambule.

BÉRALDE

D'où vient, mon frère, qu'ayant le bien que vous avez, et n'ayant d'enfants qu'une fille, car 10 je ne compte pas la petite[1], d'où vient, dis-je, que vous parlez de la mettre dans un convent?

ARGAN

D'où vient, mon frère, que je suis maître dans ma famille pour faire ce que bon me semble?

---

1. La petite Louison ne compte pas *encore*, parce qu'il n'y a pas encore à se préoccuper de la marier et de la doter.

BÉRALDE

Votre femme ne manque pas de vous conseiller de vous défaire ainsi de vos deux filles, et je ne doute point que, par un esprit de charité, elle ne fût ravie de les voir toutes deux bonnes religieuses.

ARGAN

Oh çà ! nous y voici. Voilà d'abord la pauvre femme en jeu : c'est elle qui fait tout le mal, et tout le monde lui en veut.

BÉRALDE

Non, mon frère ; laissons-la là ; c'est une femme qui a les meilleures intentions du monde pour votre famille, et qui est détachée de toute sorte d'intérêt, qui a pour vous une tendresse merveilleuse, et qui montre pour vos enfants une affection et une bonté qui n'est pas concevable : cela est certain. N'en parlons point, et revenons à votre fille. Sur quelle pensée, mon frère, la voulez-vous donner en mariage au fils d'un médecin ?

ARGAN

Sur la pensée, mon frère, de me donner un gendre tel qu'il me faut.

BÉRALDE

Ce n'est point là, mon frère, le fait de votre fille, et il se présente un parti plus sortable pour elle.

ARGAN

Oui, mais celui-ci, mon frère, est plus sortable pour moi.

BÉRALDE

Mais le mari qu'elle doit prendre doit-il être, mon frère, ou pour elle, ou pour vous?

ARGAN

Il doit être, mon frère, et pour elle, et pour moi, et je veux mettre dans ma famille les gens dont j'ai besoin.

BÉRALDE

Par cette raison-là, si votre petite était grande, vous lui donneriez en mariage un apothicaire[1]?

---

1. Dans la hiérarchie sociale, les apothicaires sont desservis par le fait qu'ils exercent la «marchandise». «À Paris, les apothicaires prennent aussi la qualité de marchands épiciers et droguistes» (Furetière).

ARGAN

Pourquoi non ?

BÉRALDE

Est-il possible que vous serez toujours embéguiné[1] de vos apothicaires et de vos médecins, et que vous vouliez être malade en dépit des gens et de la nature ?   5

ARGAN

Comment l'entendez-vous, mon frère ?

BÉRALDE

J'entends, mon frère, que je ne vois point d'homme qui soit moins malade que vous, et que je ne demanderais point une meilleure constitution que la vôtre. Une grande marque   10
que vous vous portez bien et que vous avez un corps parfaitement bien composé[2], c'est qu'avec tous les soins que vous avez pris, vous n'avez pu parvenir encore à gâter la bonté de votre tempérament, et que vous n'êtes point crevé[3]   15

1. « Se dit figurément en choses spirituelles des mauvaises opinions qui nous entêtent, des folles amours qui nous gouvernent, qui maîtrisent notre esprit [...]. Un vieillard se laisse coiffer, *embéguiner* par une jeune femme » (Furetière).
2. D'un bon tempérament.
3. « Mourir et surtout de mort violente [...]. Cette médecine était trop forte, elle l'a fait *crever* » (Furetière).

de toutes les médecines qu'on vous a fait
prendre.

ARGAN

Mais savez-vous, mon frère, que c'est cela
qui me conserve, et que Monsieur Purgon dit
5   que je succomberais, s'il était seulement trois
jours sans prendre soin de moi ?

BÉRALDE

Si vous n'y prenez garde, il prendra tant de
soin de vous qu'il vous enverra en l'autre
monde.

ARGAN

10   Mais raisonnons un peu, mon frère. Vous
ne croyez donc point à la médecine ?

BÉRALDE

Non, mon frère, et je ne vois pas que, pour
son salut, il soit nécessaire d'y croire.

ARGAN

Quoi ? vous ne tenez pas véritable une
15   chose établie par tout le monde, et que tous les
siècles ont révélée ?

BÉRALDE

Bien loin de la tenir véritable, je la trouve,
entre nous, une des plus grandes folies qui soit

parmi les hommes[1], et à regarder les choses en
philosophe, je ne vois point de plus plaisante
momerie[2], je ne vois rien de plus ridicule qu'un
homme qui se veut mêler d'en guérir un autre.

ARGAN

Pourquoi ne voulez-vous pas, mon frère,   5
qu'un homme en puisse guérir un autre ?

BÉRALDE

Par la raison, mon frère, que les ressorts de
notre machine sont des mystères, jusques ici, où
les hommes ne voient goutte, et que la nature
nous a mis au-devant des yeux des voiles trop   10
épais pour y connaître quelque chose.

ARGAN

Les médecins ne savent donc rien, à votre
compte[3] ?

BÉRALDE

Si fait, mon frère. Ils savent la plupart de
fort belles humanités[4], savent parler en beau   15

---

1. Dom Juan disait à Sganarelle : « C'est une des grandes
erreurs qui soient parmi les hommes » (*Dom Juan*, acte III, sc. I).
2. *Momerie* : « Troupe de personnes masquées qui vont dan-
ser et se divertir » (Furetière). Au sens figuré : hypocrisie.
3. À votre avis.
4. Les *humanités* : « Les lettres humaines, la Grammaire, la
Rhétorique, la Poésie, [etc.] » (Furetière).

latin, savent nommer en grec toutes les maladies, les définir et les diviser ; mais, pour ce qui est de les guérir, c'est ce qu'ils ne savent point du tout.

ARGAN

5 Mais toujours faut-il demeurer d'accord que, sur cette matière, les médecins en savent plus que les autres.

BÉRALDE

Ils savent, mon frère, ce que je vous ai dit, qui ne guérit pas de grand-chose ; et toute l'ex-
10 cellence de leur art consiste en un pompeux galimatias, en un spécieux babil[1], qui vous donne des mots pour des raisons, et des promesses pour des effets.

ARGAN

Mais enfin, mon frère, il y a des gens aussi
15 sages et aussi habiles que vous ; et nous voyons que, dans la maladie, tout le monde a recours aux médecins.

BÉRALDE

C'est une marque de faiblesse humaine, et non pas de la vérité de leur art.

---

1. *Galimatias* : discours embrouillé, confus. — *Babil* : bavardage futile.

ARGAN

Mais il faut bien que les médecins croient
leur art véritable, puisqu'ils s'en servent pour
eux-mêmes.

BÉRALDE

C'est qu'il y en a parmi eux qui sont eux-
mêmes dans l'erreur populaire, dont ils profi-   5
tent, et d'autres qui en profitent sans y être.
Votre Monsieur Purgon, par exemple, n'y sait
point de finesse : c'est un homme tout médecin, depuis la tête jusqu'aux pieds ; un homme
qui croit à ses règles plus qu'à toutes les   10
démonstrations des mathématiques, et qui croirait du crime à les vouloir examiner ; qui ne
voit rien d'obscur dans la médecine, rien de douteux, rien de difficile, et qui, avec une impétuo-
sité de prévention, une roideur de confiance,   15
une brutalité de sens commun et de raison [1],
donne au travers [2] des purgations et des saignées, et ne balance [3] aucune chose. Il ne lui
faut point vouloir mal de tout ce qu'il pourra
vous faire : c'est de la meilleure foi du monde   20

1. Une application brutale et sans subtilité du sens commun
et de la raison.
2. Se jette, comme on va à la charge (*donner* a une colora-
tion militaire), dans les purgations…
3. *Balancer* : peser.

qu'il vous expédiera[1], et il ne fera, en vous tuant, que ce qu'il a fait à sa femme et à ses enfants, et ce qu'en un besoin il ferait à lui-même.

ARGAN

5   C'est que vous avez, mon frère, une dent de lait[2] contre lui. Mais enfin venons au fait. Que faire donc quand on est malade ?

BÉRALDE

Rien, mon frère.

ARGAN

Rien ?

BÉRALDE

10   Rien. Il ne faut que demeurer en repos. La nature, d'elle-même, quand nous la laissons faire, se tire doucement du désordre où elle est tombée. C'est notre inquiétude, c'est notre impatience qui gâte tout, et presque tous les 15 hommes meurent de leurs remèdes, et non pas de leurs maladies.

---

1. *Expédier* : « Exécuter à mort. Il y a eu aujourd'hui quatre hommes *expédiés* à la Grève » (Furetière).
2. « Avoir une *dent de lait* contre quelqu'un ou simplement une dent : avoir quelque ressentiment contre lui » (Furetière).

ARGAN

Mais il faut demeurer d'accord, mon frère, qu'on peut aider cette nature par de certaines choses.

BÉRALDE

Mon Dieu ! mon frère, ce sont pures idées, dont nous aimons à nous repaître ; et, de tout temps, il s'est glissé parmi les hommes de belles imaginations, que nous venons à croire, parce qu'elles nous flattent et qu'il serait à souhaiter qu'elles fussent véritables. Lorsqu'un médecin vous parle d'aider, de secourir, de soulager la nature, de lui ôter ce qui lui nuit et lui donner ce qui lui manque, de la rétablir et de la remettre dans une pleine facilité de ses fonctions ; lorsqu'il vous parle de rectifier le sang, de tempérer les entrailles et le cerveau, de dégonfler la rate, de raccommoder la poitrine, de réparer le foie, de fortifier le cœur, de rétablir et conserver la chaleur naturelle, et d'avoir des secrets pour étendre la vie à de longues années : il vous dit justement le roman de la médecine. Mais quand vous en venez à la vérité et à l'expérience, vous ne trouvez rien de tout cela, et il en est comme de ces beaux songes qui ne vous laissent au réveil que le déplaisir de les avoir crus.

ARGAN

C'est-à-dire que toute la science du monde est renfermée dans votre tête, et vous voulez en savoir plus que tous les grands médecins de notre siècle.

BÉRALDE

5   Dans les discours et dans les choses, ce sont deux sortes de personnes que vos grands médecins. Entendez-les parler : les plus habiles gens du monde ; voyez-les faire : les plus ignorants de tous les hommes.

ARGAN

10   Hoy ! Vous êtes un grand docteur, à ce que je vois, et je voudrais bien qu'il y eût ici quelqu'un de ces messieurs pour rembarrer vos raisonnements et rabaisser votre caquet.

BÉRALDE

15   Moi, mon frère, je ne prends point à tâche de combattre la médecine ; et chacun, à ses périls et fortune, peut croire tout ce qu'il lui plaît. Ce que j'en dis n'est qu'entre nous, et j'aurais souhaité de pouvoir un peu vous tirer
20   de l'erreur où vous êtes, et, pour vous divertir,

vous mener voir sur ce chapitre quelqu'une
des comédies de Molière[1].

ARGAN

C'est un bon impertinent que votre Molière
avec ses comédies, et je le trouve bien plaisant d'aller jouer d'honnêtes gens comme les   5
médecins.

BÉRALDE

Ce ne sont point les médecins qu'il joue,
mais le ridicule de la médecine[2].

ARGAN

C'est bien à lui à faire de se mêler[3] de
contrôler la médecine ; voilà un bon nigaud,   10
un bon impertinent, de se moquer des consultations et des ordonnances, de s'attaquer au

---

1. *L'Amour médecin, Monsieur de Pourceaugnac, Le Médecin malgré lui.* Ne parlons pas de *Dom Juan* qui ne se joue
plus.
2. Dans cette scène, dont l'ensemble s'inspire de Montaigne,
on retrouve les *Essais*, liv. II, chap. XXXVII. Cette formule lui est
empruntée plus directement peut-être : « J'honore les médecins,
non pas... pour la nécessité... mais pour l'amour d'eux-
mêmes... Ce n'est pas à eux que j'en veux, c'est à leur art... »
3. L'expression me paraît faite de la contamination de « C'est
bien à lui de se mêler... » et « c'est bien à faire à lui de contrôler ». L'addition des deux aboutit à une formule pléonastique,
redondante. Le sens n'est pas douteux. Mais y a-t-il de la
part de Molière négligence, ou désir de montrer son Argan
bafouillant d'indignation ?

corps des médecins, et d'aller mettre sur son théâtre des personnes vénérables comme ces messieurs-là.

BÉRALDE

Que voulez-vous qu'il y mette que les diverses professions des hommes ? On y met bien tous les jours les princes et les rois, qui sont d'aussi bonne maison que les médecins.

ARGAN

Par la mort non de diable[1] ! si j'étais que des médecins[2], je me vengerais de son impertinence ; et quand il sera malade, je le laisserais mourir sans secours. Il aurait beau faire et beau dire, je ne lui ordonnerais pas la moindre petite saignée, le moindre petit lavement, et je lui dirais : «Crève, crève ! cela t'apprendra une autre fois à te jouer à la Faculté. »

BÉRALDE

Vous voilà bien en colère contre lui.

1. *Par la mort de Dieu* est un juron blasphématoire ; *par la mort* [non de Dieu mais] *de diable* supprime le blasphème en niant, mais le juron original a néanmoins servi d'exutoire à l'indignation d'Argan.
2. Si j'étais médecin…

ARGAN

Oui, c'est un malavisé, et si les médecins sont sages, ils feront ce que je dis.

BÉRALDE

Il sera encore plus sage que vos médecins, car il ne leur demandera point de secours.

ARGAN

Tant pis pour lui s'il n'a point recours aux remèdes.   5

BÉRALDE

Il a ses raisons pour n'en point vouloir, et il soutient que cela n'est permis qu'aux gens vigoureux et robustes, et qui ont des forces de reste pour porter les remèdes avec la maladie ; mais que, pour lui, il n'a justement de la force que pour porter son mal[1].   10

ARGAN

Les sottes raisons que voilà ! Tenez, mon frère, ne parlons point de cet homme-là davan-

1. [Quand je suis malade] « je réponds à ceux qui me pressent de prendre médecine, qu'ils attendent au moins que je sois rendu à mes forces et à ma santé, pour avoir plus de moyen de soutenir l'effort et le hasard de leur breuvage » (Montaigne, *Essais*, liv. II, chap. XXXVII).

tage, car cela m'échauffe la bile, et vous me
donneriez mon mal.

BÉRALDE

Je le veux bien, mon frère ; et, pour changer
de discours, je vous dirai que, sur une petite
5 répugnance que vous témoigne votre fille,
vous ne devez point prendre les résolutions
violentes de la mettre dans un convent ; que,
pour le choix d'un gendre, il ne vous faut
pas suivre aveuglément la passion qui vous
10 emporte, et qu'on doit, sur cette matière, s'accommoder un peu à l'inclination d'une fille,
puisque c'est pour toute la vie, et que de là
dépend tout le bonheur d'un mariage.

SCÈNE IV

MONSIEUR FLEURANT, *une seringue*
à la main ; ARGAN, BÉRALDE

ARGAN

Ah ! mon frère, avec votre permission.

BÉRALDE

15 Comment ? que voulez-vous faire ?

ARGAN

Prendre ce petit lavement-là ; ce sera bientôt fait.

BÉRALDE

Vous vous moquez. Est-ce que vous ne sauriez être un moment sans lavement ou sans
médecine ? Remettez cela à une autre fois, et   5
demeurez un peu en repos.

ARGAN

Monsieur Fleurant, à ce soir, ou à demain
au matin.

MONSIEUR FLEURANT, *à Béralde*

De quoi vous mêlez-vous de vous opposer
aux ordonnances de la médecine, et d'empê-   10
cher Monsieur de prendre mon clystère ? Vous
êtes bien plaisant d'avoir cette hardiesse-là !

BÉRALDE

Allez, Monsieur, on voit bien que vous
n'avez pas accoutumé de parler à des visages[1].

---

1. Selon Boursault, *Lettres nouvelles*, qui attaqua violem-
ment Molière, le texte lors de la première était tout directement : «Allez, Monsieur, allez, on voit bien que vous avez
coutume de ne parler qu'à des culs.»

MONSIEUR FLEURANT

On ne doit point ainsi se jouer des remèdes,
et me faire perdre mon temps. Je ne suis venu
ici que sur une bonne ordonnance, et je vais
dire à Monsieur Purgon comme on m'a empê-
5 ché d'exécuter ses ordres et de faire ma fonction. Vous verrez, vous verrez…

ARGAN

Mon frère, vous serez cause ici de quelque
malheur.

BÉRALDE

Le grand malheur de ne pas prendre un lave-
10 ment que Monsieur Purgon a ordonné. Encore
un coup, mon frère, est-il possible qu'il n'y ait
pas moyen de vous guérir de la maladie des
médecins, et que vous vouliez être, toute votre
vie, enseveli dans leurs remèdes ?

ARGAN

15 Mon Dieu ! mon frère, vous en parlez comme
un homme qui se porte bien ; mais, si vous
étiez à ma place, vous changeriez bien de langage. Il est aisé de parler contre la médecine
quand on est en pleine santé.

BÉRALDE

Mais quel mal avez-vous ?

ARGAN

Vous me feriez enrager. Je voudrais que
vous l'eussiez mon mal, pour voir si vous jase-
riez tant. Ah ! voici Monsieur Purgon.

SCÈNE V

MONSIEUR PURGON, ARGAN, BÉRALDE,
TOINETTE

MONSIEUR PURGON

Je viens d'apprendre là-bas, à la porte, de   5
jolies nouvelles : qu'on se moque ici de mes
ordonnances, et qu'on a fait refus de prendre
le remède que j'avais prescrit.

ARGAN

Monsieur, ce n'est pas…

MONSIEUR PURGON

Voilà une hardiesse bien grande, une étrange   10
rébellion d'un malade contre son médecin.

TOINETTE

Cela est épouvantable.

MONSIEUR PURGON

Un clystère que j'avais pris plaisir à composer moi-même.

ARGAN

Ce n'est pas moi…

MONSIEUR PURGON

5   Inventé et formé dans toutes les règles de
l'art.

TOINETTE

Il a tort.

MONSIEUR PURGON

Et qui devait faire dans des entrailles un
effet merveilleux.

ARGAN

10   Mon frère…

MONSIEUR PURGON

Le renvoyer avec mépris !

ARGAN

C'est lui…

MONSIEUR PURGON

C'est une action exorbitante[1].

TOINETTE

Cela est vrai.

MONSIEUR PURGON

Un attentat énorme contre la médecine.

ARGAN

Il est cause…

MONSIEUR PURGON

Un crime de lèse-Faculté[2], qui ne se peut   5
assez punir.

TOINETTE

Vous avez raison.

MONSIEUR PURGON

Je vous déclare que je romps commerce
avec vous.

---

1. *Exorbitant* appartient au vocabulaire du droit ; est *exorbitant* du droit commun ce qui est contraire au droit. Une séquence de mots juridiques commence ici, elle se continuera par « attentat énorme » et culminera avec « lèse-Faculté ».
2. *Lèse-Faculté* est fabriqué sur lèse-Majesté. C'est le plus grand des crimes.

ARGAN

C'est mon frère…

MONSIEUR PURGON

Que je ne veux plus d'alliance avec vous.

TOINETTE

Vous ferez bien.

MONSIEUR PURGON

Et que, pour finir toute liaison avec vous,
5 voilà la donation que je faisais à mon neveu,
en faveur du mariage.

ARGAN

C'est mon frère qui a fait tout le mal.

MONSIEUR PURGON

Mépriser mon clystère !

ARGAN

Faites-le venir, je m'en vais le prendre.

MONSIEUR PURGON

10 Je vous aurais tiré d'affaire avant qu'il fût
peu.

TOINETTE

Il ne le mérite pas.

MONSIEUR PURGON

J'allais nettoyer votre corps et en évacuer entièrement les mauvaises humeurs.

ARGAN

Ah, mon frère !

MONSIEUR PURGON

Et je ne voulais plus qu'une douzaine de médecines, pour vuider[1] le fond du sac.   5

TOINETTE

Il est indigne de vos soins.

MONSIEUR PURGON

Mais puisque vous n'avez pas voulu guérir par mes mains…

ARGAN

Ce n'est pas ma faute.

MONSIEUR PURGON

Puisque vous vous êtes soustrait de l'obéis-   10
sance que l'on doit à son médecin…

---

1. *Vuider* : forme ancienne de vider.

TOINETTE

Cela crie vengeance.

MONSIEUR PURGON

Puisque vous vous êtes déclaré rebelle[1] aux
remèdes que je vous ordonnais…

ARGAN

Hé ! point du tout.

MONSIEUR PURGON

5   J'ai à vous dire que je vous abandonne à
votre mauvaise constitution, à l'intempérie[2] de
vos entrailles, à la corruption de votre sang, à
l'âcreté de votre bile[3] et à la féculence[4] de vos
humeurs.

TOINETTE

10   C'est fort bien fait.

ARGAN

Mon Dieu !

1. « Qui se révolte contre son souverain » (Furetière). La
rébellion est acte de lèse-Majesté.
2. *Intempérie* : voir note 3, p. 160.
3. *L'âcreté de la bile* rendra sans doute Argan atrabilaire.
4. « *Féculent*, terme de médecine, qui se dit seulement du
sang et des humeurs qui ont des fèces ou de la lie, qui n'ont pas
la pureté qu'ils doivent avoir » (Furetière).

MONSIEUR PURGON

Et je veux qu'avant qu'il soit quatre jours vous deveniez dans un état incurable.

ARGAN

Ah ! miséricorde !

MONSIEUR PURGON

Que vous tombiez dans la bradypepsie[1].

ARGAN

Monsieur Purgon !   5

MONSIEUR PURGON

De la bradypepsie dans la dyspepsie[2].

ARGAN

Monsieur Purgon !

MONSIEUR PURGON

De la dyspepsie dans l'apepsie[3].

---

1. *Bradypepsie* : lenteur de la digestion.
2. *Dyspepsie* : mauvaise digestion.
3. *Apepsie* : impossibilité de digestion. Les trois mots *brady-pepsie, dyspepsie, apepsie*, sont du vocabulaire le plus technique — Furetière ne les a pas recueillis —, d'où leur effet puissant sur Argan.

ARGAN

Monsieur Purgon !

MONSIEUR PURGON

De l'apepsie dans la lienterie[1]…

ARGAN

Monsieur Purgon !

MONSIEUR PURGON

De la lienterie dans la dysenterie[2]…

ARGAN

5 Monsieur Purgon !

MONSIEUR PURGON

De la dysenterie dans l'hydropisie[3]…

1. Dans la *lienterie*, les aliments sont éliminés sans même un commencement de digestion.
2. La description par Furetière (1690) de la *dysenterie* aurait eu de quoi terrifier Argan : « Flux de ventre sanguinolent […]. On jette par bas des raclures de boyaux en formes de petites peaux avec du sang et de la sanie [du pus]. Quelquefois, la substance charneuse des intestins tombe, pourrie ou corrodée. La dysenterie causée de bile noire est mortelle. »
3. L'article de Furetière donne le choix entre diverses formes très effrayantes d'*hydropisie* : « enflure des membres du corps causée par une eau qui coule entre cuir et chair, lorsque le foie ne fait plus ses fonctions » (Furetière).

ARGAN

Monsieur Purgon !

MONSIEUR PURGON

Et de l'hydropisie dans la privation de la vie, où vous aura conduit votre folie.

SCÈNE VI

ARGAN, BÉRALDE

ARGAN

Ah, mon Dieu ! je suis mort. Mon frère, vous m'avez perdu.   5

BÉRALDE

Quoi ? qu'y a-t-il ?

ARGAN

Je n'en puis plus. Je sens déjà que la médecine se venge.

BÉRALDE

Ma foi ! mon frère, vous êtes fou, et je ne voudrais pas, pour beaucoup de choses, qu'on   10 vous vît faire ce que vous faites. Tâtez-vous

un peu, je vous prie, revenez à vous-même, et
ne donnez point tant à votre imagination.

ARGAN

Vous voyez, mon frère, les étranges maladies dont il m'a menacé.

BÉRALDE

5   Le simple homme que vous êtes !

ARGAN

Il dit que je deviendrai incurable avant qu'il
soit quatre jours.

BÉRALDE

Et ce qu'il dit, que fait-il à la chose ? Est-ce
un oracle qui a parlé ? Il semble, à vous
10   entendre, que Monsieur Purgon tienne dans
ses mains le filet[1] de vos jours, et que, d'autorité suprême, il vous l'allonge et vous le
racourcisse comme il lui plaît. Songez que les
principes de votre vie sont en vous-même, et
15   que le courroux de Monsieur Purgon est aussi
peu capable de vous faire mourir que ses
remèdes de vous faire vivre. Voici une aventure, si vous voulez, à vous défaire des médecins, ou, si vous êtes né à ne pouvoir vous en

1. Le fil ou le *filet* que filent et coupent enfin les Parques.

passer, il est aisé d'en avoir un autre, avec lequel, mon frère, vous puissiez courir un peu moins de risque.

ARGAN

Ah! mon frère, il sait tout mon tempérament et la manière dont il faut me gouverner.   5

BÉRALDE

Il faut vous avouer que vous êtes un homme d'une grande prévention, et que vous voyez les choses avec d'étranges yeux.

SCÈNE VII

TOINETTE, ARGAN, BÉRALDE

TOINETTE

Monsieur, voilà un médecin qui demande à vous voir.   10

ARGAN

Et quel médecin?

TOINETTE

Un médecin de la médecine.

ARGAN

Je te demande qui il est ?

TOINETTE

Je ne le connais pas ; mais il me ressemble comme deux gouttes d'eau, et si je n'étais sûre que ma mère était honnête femme, je dirais que ce serait quelque petit frère qu'elle m'aurait donné depuis le trépas de mon père.

ARGAN

Fais-le venir.

BÉRALDE

Vous êtes servi à souhait : un médecin vous quitte, un autre se présente.

ARGAN

J'ai bien peur que vous ne soyez cause de quelque malheur.

BÉRALDE

Encore ! vous en revenez toujours là ?

ARGAN

Voyez-vous ? j'ai sur le cœur toutes ces maladies-là que je ne connais point, ces...

SCÈNE VIII

TOINETTE, *en médecin* ; ARGAN, BÉRALDE

TOINETTE

Monsieur, agréez que je vienne vous rendre visite et vous offrir mes petits services pour toutes les saignées et les purgations dont vous aurez besoin.

ARGAN

Monsieur, je vous suis fort obligé. Par ma foi ! voilà Toinette elle-même.

TOINETTE

Monsieur, je vous prie de m'excuser, j'ai oublié de donner une commission à mon valet ; je reviens tout à l'heure.

ARGAN

Eh ! ne diriez-vous pas que c'est effectivement Toinette ?

BÉRALDE

Il est vrai que la ressemblance est tout à fait grande. Mais ce n'est pas la première fois

qu'on a vu de ces sortes de choses, et les his-
toires ne sont pleines que de ces jeux de la
nature.

ARGAN

Pour moi, j'en suis surpris, et...

SCÈNE IX

TOINETTE, ARGAN, BÉRALDE

TOINETTE *quitte son habit de médecin
si promptement qu'il est difficile
de croire que ce soit elle qui a paru
en médecin*

5   Que voulez-vous, Monsieur?

ARGAN

Comment?

TOINETTE

Ne m'avez-vous pas appelée?

ARGAN

Moi? non.

TOINETTE

Il faut donc que les oreilles m'aient corné[1].

ARGAN

Demeure un peu ici pour voir comme ce médecin te ressemble.

TOINETTE, *en sortant, dit*

Oui, vraiment, j'ai affaire là-bas, et je l'ai assez vu.

ARGAN

Si je ne les voyais tous deux, je croirais que ce n'est qu'un.

BÉRALDE

J'ai lu des choses surprenantes de ces sortes de ressemblances, et nous en avons vu de notre temps où tout le monde s'est trompé.

ARGAN

Pour moi, j'aurais été trompé à celle-là, et j'aurais juré que c'est la même personne.

---

1. *Corner aux oreilles de quelqu'un* : lui parler très fort.

SCÈNE X

TOINETTE, *en médecin*[1] ; ARGAN, BÉRALDE

TOINETTE

Monsieur, je vous demande pardon de tout mon cœur.

ARGAN

Cela est admirable !

TOINETTE

Vous ne trouverez pas mauvais, s'il vous
5 plaît, la curiosité que j'ai eue de voir un illustre
malade comme vous êtes ; et votre réputation,
qui s'étend partout, peut excuser la liberté que
j'ai prise.

ARGAN

Monsieur, je suis votre serviteur.

TOINETTE

10 Je vois, Monsieur, que vous me regardez
fixement. Quel âge croyez-vous bien que j'aie ?

---

1. Ce jeu est repris du *Médecin volant*.

ARGAN

Je crois que tout au plus vous pouvez avoir vingt-six ou vingt-sept ans.

TOINETTE

Ah, ah, ah, ah, ah ! j'en ai quatre-vingt-dix.

ARGAN

Quatre-vingt-dix ?

TOINETTE

Oui. Vous voyez un effet des secrets de   5
mon art, de me conserver ainsi frais et vigoureux.

ARGAN

Par ma foi ! voilà un beau jeune vieillard
pour quatre-vingt-dix ans.

TOINETTE

Je suis médecin passager[1], qui vais de ville   10
en ville, de province en province, de royaume
en royaume, pour chercher d'illustres matières
à ma capacité, pour trouver des malades dignes

1. «*Passager* se dit des oiseaux, des poissons qui ne paraissent qu'en une certaine saison et qui vont habiter tantôt un lieu,
tantôt un autre […]. On le dit plus particulièrement des oiseaux
de proie» (Furetière).

de m'occuper, capables d'exercer les grands et
beaux secrets que j'ai trouvés dans la médecine.
Je dédaigne de m'amuser à ce menu fatras de
maladies ordinaires, à ces bagatelles de rhumatismes et défluxions, à ces fiévrottes, à ces
vapeurs, et à ces migraines. Je veux des maladies d'importance : de bonnes fièvres continues[1] avec des transports au cerveau, de bonnes
fièvres pourprées[2], de bonnes pestes, de
bonnes hydropisies[3] formées, de bonnes pleu-
résies avec des inflammations de poitrine :
c'est là que je me plais, c'est là que je
triomphe ; et je voudrais, Monsieur, que vous
eussiez toutes les maladies que je viens de dire,
que vous fussiez abandonné de tous les médecins, désespéré, à l'agonie, pour vous montrer
l'excellence de mes remèdes, et l'envie que
j'aurais de vous rendre service.

ARGAN

Je vous suis obligé, Monsieur, des bontés
que vous avez pour moi.

---

1. « Il y a quatre espèces de *fièvres continues* : la synoque
simple, la quotidienne continue, la tierce continue et la quarte
continue » (Furetière).
2. *Fièvres pourprées* : urticaires.
3. *Hydropisie* : voir note 3, p. 206.

TOINETTE

Donnez-moi votre pouls. Allons donc, que l'on batte comme il faut. Ahy, je vous ferai bien aller comme vous devez. Hoy, ce pouls-là fait l'impertinent : je vois bien que vous ne me connaissez pas encore. Qui est votre médecin ? 5

ARGAN

Monsieur Purgon.

TOINETTE

Cet homme-là n'est point écrit sur mes tablettes entre les grands médecins. De quoi dit-il que vous êtes malade ?

ARGAN

Il dit que c'est du foie, et d'autres disent 10
que c'est de la rate.

TOINETTE

Ce sont tous des ignorants : c'est du poumon que vous êtes malade.

ARGAN

Du poumon ?

TOINETTE

Oui. Que sentez-vous ? 15

ARGAN

Je sens de temps en temps des douleurs de tête.

TOINETTE

Justement, le poumon.

ARGAN

5 Il me semble parfois que j'ai un voile devant les yeux.

TOINETTE

Le poumon.

ARGAN

J'ai quelquefois des maux de cœur.

TOINETTE

Le poumon.

ARGAN

Je sens parfois des lassitudes par tous les 10 membres.

TOINETTE

Le poumon.

ARGAN

Et quelquefois il me prend des douleurs dans le ventre, comme si c'étaient des coliques.

TOINETTE

Le poumon. Vous avez appétit à ce que vous mangez ?

ARGAN

Oui, Monsieur.

TOINETTE

Le poumon. Vous aimez à boire un peu de vin ?

ARGAN

Oui, Monsieur.

TOINETTE

Le poumon. Il vous prend un petit sommeil après le repas et vous êtes bien aise de dormir ?

ARGAN

Oui, Monsieur.

TOINETTE

Le poumon, le poumon, vous dis-je. Que vous ordonne votre médecin pour votre nourriture ?

ARGAN

Il m'ordonne du potage.

TOINETTE

Ignorant.

ARGAN

De la volaille.

TOINETTE

Ignorant.

ARGAN

5   Du veau.

TOINETTE

Ignorant.

ARGAN

Des bouillons.

TOINETTE

Ignorant.

ARGAN

Des œufs frais.

TOINETTE

10   Ignorant.

ARGAN

Et le soir des petits pruneaux pour lâcher le ventre.

TOINETTE

Ignorant.

ARGAN

Et surtout de boire mon vin fort trempé[1].

TOINETTE

Ignorantus, ignoranta, ignorantum. Il faut boire votre vin pur ; et pour épaissir votre sang qui est trop subtil, il faut manger de bon gros bœuf, de bon gros porc, de bon fromage de Hollande, du gruau et du riz, et des marrons et des oublies[2], pour coller et conglutiner[3]. Votre médecin est une bête. Je veux vous en envoyer un de ma main, et je viendrai vous voir de temps en temps, tandis que je serai en cette ville.

---

1. «*Tremper son vin* : c'est le boire avec beaucoup d'eau» (Furetière).
2. *Oublie* : «Pâtisserie ronde, déliée et cuite entre deux fers» (Furetière).
3. *Conglutiner* : lier, mot scientifique. Toinette, au contact de son maître et des médecins, a enrichi son vocabulaire d'un mot technique rare.

ARGAN

Vous m'obligez beaucoup.

TOINETTE

Que diantre faites-vous de ce bras-là ?

ARGAN

Comment ?

TOINETTE

Voilà un bras que je me ferais couper tout à
5   l'heure, si j'étais que de vous[1].

ARGAN

Et pourquoi ?

TOINETTE

Ne voyez-vous pas qu'il tire à soi toute la
nourriture, et qu'il empêche ce côté-là de profiter ?

ARGAN

10   Oui ; mais j'ai besoin de mon bras.

---

1. Si j'étais vous, à votre place.

TOINETTE

Vous avez là aussi un œil droit que je me
ferais crever, si j'étais en votre place.

ARGAN

Crever un œil ?

TOINETTE

Ne voyez-vous pas qu'il incommode l'autre,
et lui dérobe sa nourriture ? Croyez-moi, faites-   5
vous-le crever au plus tôt, vous en verrez plus
clair de l'œil gauche.

ARGAN

Cela n'est pas pressé.

TOINETTE

Adieu. Je suis fâché de vous quitter si tôt ;
mais il faut que je me trouve à une grande   10
consultation qui se doit faire pour un homme
qui mourut hier.

ARGAN

Pour un homme qui mourut hier ?

TOINETTE

Oui, pour aviser, et voir ce qu'il aurait fallu
lui faire pour le guérir. Jusqu'au revoir.   15

ARGAN

Vous savez que les malades ne reconduisent point[1].

BÉRALDE

Voilà un médecin vraiment qui paraît fort habile.

ARGAN

5   Oui, mais il va un peu bien vite.

BÉRALDE

Tous les grands médecins sont comme cela.

ARGAN

Me couper un bras, et me crever un œil, afin que l'autre se porte mieux ? J'aime bien mieux qu'il ne se porte pas si bien. La belle opéra-
10   tion, de me rendre borgne et manchot !

---

1. La bienséance voulait que l'hôte reconduise son invité jusqu'à la porte.

SCÈNE XI

TOINETTE, ARGAN, BÉRALDE

TOINETTE

Allons, allons, je suis votre servante, je n'ai pas envie de rire.

ARGAN

Qu'est-ce que c'est ?

TOINETTE

Votre médecin, ma foi ! qui me voulait tâter le pouls.

5

ARGAN

Voyez un peu, à l'âge de quatre-vingt-dix ans !

BÉRALDE

Oh çà, mon frère, puisque voilà votre Monsieur Purgon brouillé avec vous, ne voulez-vous pas bien que je vous parle du parti qui s'offre pour ma nièce ?

10

ARGAN

Non, mon frère : je veux la mettre dans un couvent, puisqu'elle s'est opposée à mes volontés. Je vois bien qu'il y a quelque amourette là-dessous, et j'ai découvert certaine entrevue secrète, qu'on ne sait pas que j'aie découverte.

BÉRALDE

5 Hé bien ! mon frère, quand il y aurait quelque petite inclination, cela serait-il si criminel, et rien peut-il vous offenser, quand tout ne va qu'à des choses honnêtes comme le mariage ?

ARGAN

Quoi qu'il en soit, mon frère, elle sera religieuse, c'est une chose résolue.

BÉRALDE

10 Vous voulez faire plaisir à quelqu'un.

ARGAN

Je vous entends : vous en revenez toujours là, et ma femme vous tient au cœur.

BÉRALDE

Hé bien ! oui, mon frère, puisqu'il faut parler à cœur ouvert, c'est votre femme que je
15 veux dire ; et non plus que l'entêtement de la médecine, je ne puis vous souffrir l'entêtement où vous êtes pour elle, et voir que vous donniez tête baissée dans tous les pièges qu'elle vous tend.

TOINETTE

Ah ! Monsieur, ne parlez point de Madame :
c'est une femme sur laquelle il n'y a rien à dire,
une femme sans artifice, et qui aime Monsieur,
qui l'aime… on ne peut pas dire cela.

ARGAN

Demandez-lui un peu les caresses qu'elle   5
me fait.

TOINETTE

Cela est vrai.

ARGAN

L'inquiétude que lui donne ma maladie.

TOINETTE

Assurément.

ARGAN

Et les soins et les peines qu'elle prend   10
autour de moi.

TOINETTE

Il est certain. Voulez-vous que je vous
convainque, et vous fasse voir tout à l'heure
comme Madame aime Monsieur ? Monsieur,

souffrez que je lui montre son bec jaune[1], et le
tire d'erreur.

ARGAN

Comment ?

TOINETTE

5   Madame va s'en revenir. Mettez-vous tout
étendu dans cette chaise, et contrefaites le
mort. Vous verrez la douleur où elle sera,
quand je lui dirai la nouvelle.

ARGAN

Je le veux bien.

TOINETTE

10 Oui ; mais ne la laissez pas longtemps dans
le désespoir, car elle en pourrait bien mourir.

ARGAN

Laisse-moi faire.

TOINETTE, *à Béralde*

Cachez-vous, vous, dans ce coin-là.

---

1. Sa naïveté. Un *béjaune* (de bec jaune) est un oiseau, mais
aussi un jeune homme sot et ignorant.

ARGAN

N'y a-t-il point quelque danger à contre-
faire le mort ?

TOINETTE

Non, non : quel danger y aurait-il ? Étendez-
vous là seulement. *(Bas.)* Il y aura plaisir à
confondre votre frère. Voici Madame. Tenez-   5
vous bien.

SCÈNE XII

BÉLINE, TOINETTE, ARGAN, BÉRALDE

TOINETTE, *s'écrie*

Ah, mon Dieu ! Ah, malheur ! Quel étrange
accident !

BÉLINE

Qu'est-ce, Toinette ?

TOINETTE

Ah, Madame !   10

BÉLINE

Qu'y a-t-il ?

TOINETTE

Votre mari est mort.

BÉLINE

Mon mari est mort ?

TOINETTE

Hélas ! oui. Le pauvre défunt est trépassé.

BÉLINE

Assurément ?

TOINETTE

5   Assurément. Personne ne sait encore cet
accident-là, et je me suis trouvée ici toute
seule. Il vient de passer entre mes bras. Tenez,
le voilà tout de son long dans cette chaise.

BÉLINE

Le Ciel en soit loué ! Me voilà délivrée d'un
10   grand fardeau. Que tu es sotte, Toinette, de
t'affliger de cette mort !

TOINETTE

Je pensais, Madame, qu'il fallût pleurer.

BÉLINE

Va, va, cela n'en vaut pas la peine. Quelle
perte est-ce que la sienne ? et de quoi servait-
il sur la terre ? Un homme incommode à tout
le monde, malpropre, dégoûtant, sans cesse
un lavement ou une médecine dans le ventre,   5
mouchant, toussant, crachant toujours, sans
esprit, ennuyeux, de mauvaise humeur, fatiguant sans cesse les gens, et grondant jour et
nuit servantes et valets.

TOINETTE

Voilà une belle oraison funèbre.   10

BÉLINE

Il faut, Toinette, que tu m'aides à exécuter
mon dessein, et tu peux croire qu'en me ser-
vant ta récompense est sûre. Puisque, par un
bonheur, personne n'est encore averti de la
chose, portons-le dans son lit, et tenons cette   15
mort cachée, jusqu'à ce que j'aie fait mon
affaire. Il y a des papiers, il y a de l'argent dont
je me veux saisir, et il n'est pas juste que j'aie
passé sans fruit auprès de lui mes plus belles
années. Viens, Toinette, prenons auparavant   20
toutes ses clefs.

ARGAN, *se levant brusquement*

Doucement.

BÉLINE, *surprise et épouvantée*

Ahy !

ARGAN

Oui, Madame ma femme, c'est ainsi que
vous m'aimez ?

TOINETTE

5   Ah, ah ! le défunt n'est pas mort.

ARGAN, *à Béline, qui sort*

Je suis bien aise de voir votre amitié, et
d'avoir entendu le beau panégyrique[1] que vous
avez fait de moi. Voilà un avis au lecteur[2] qui
me rendra sage à l'avenir, et qui m'empêchera
10   de faire bien des choses.

BÉRALDE, *sortant de l'endroit
où il était caché*

Hé bien ! mon frère, vous le voyez.

---

1. *Panégyrique* : éloge.
2. « On dit proverbialement quand quelqu'un fait une remon-
trance à mots couverts, que c'est un *avis au lecteur*, un avertissement dont il faut profiter » (Furetière).

TOINETTE

Par ma foi ! je n'aurais jamais cru cela. Mais j'entends votre fille : remettez-vous comme vous étiez, et voyons de quelle manière elle recevra votre mort. C'est une chose qu'il n'est pas mauvais d'éprouver ; et puisque vous êtes   5
en train, vous connaîtrez par là les sentiments que votre famille a pour vous.

SCÈNE XIII

ANGÉLIQUE, ARGAN, TOINETTE, BÉRALDE

TOINETTE *s'écrie*

Ô Ciel ! ah, fâcheuse aventure ! Malheureuse journée !

ANGÉLIQUE

Qu'as-tu, Toinette, et de quoi pleures-tu ?   10

TOINETTE

Hélas ! j'ai de tristes nouvelles à vous donner.

ANGÉLIQUE

Hé quoi ?

TOINETTE

Votre père est mort.

ANGÉLIQUE

Mon père est mort, Toinette ?

TOINETTE

Oui ; vous le voyez là. Il vient de mourir tout à l'heure d'une faiblesse qui lui a pris.

ANGÉLIQUE

5   Ô Ciel ! quelle infortune ! quelle atteinte cruelle ! Hélas ! faut-il que je perde mon père, la seule chose qui me restait au monde ? et qu'encore, pour un surcroît de désespoir, je le perde dans un moment où il était irrité 10 contre moi ? Que deviendrai-je, malheureuse, et quelle consolation trouver après une si grande perte ?

SCÈNE XIV ET DERNIÈRE

CLÉANTE, ANGÉLIQUE, ARGAN, TOINETTE,
BÉRALDE

CLÉANTE

Qu'avez-vous donc, belle Angélique ? et
quel malheur pleurez-vous ?

ANGÉLIQUE

Hélas ! je pleure tout ce que dans la vie je
pouvais perdre de plus cher et de plus pré-
cieux : je pleure la mort de mon père.   5

CLÉANTE

Ô Ciel ! quel accident ! quel coup inopiné !
Hélas ! après la demande que j'avais conjuré
votre oncle de lui faire pour moi, je venais me
présenter à lui, et tâcher par mes respects et
par mes prières de disposer son cœur à vous   10
accorder à mes vœux.

ANGÉLIQUE

Ah ! Cléante, ne parlons plus de rien. Laissons là toutes les pensées du mariage. Après
la perte de mon père, je ne veux plus être du
monde, et j'y renonce pour jamais. Oui, mon   15

père, si j'ai résisté tantôt à vos volontés, je
veux suivre du moins une de vos intentions, et
réparer par là le chagrin que je m'accuse de
vous avoir donné. Souffrez, mon père, que je
5 vous en donne ici ma parole, et que je vous
embrasse pour vous témoigner mon ressentiment[1].

ARGAN, *se lève*

Ah, ma fille !

ANGÉLIQUE, *épouvantée*

Ahy !

ARGAN

10 Viens. N'aie point de peur, je ne suis pas
mort. Va, tu es mon vrai sang, ma véritable
fille ; et je suis ravi d'avoir vu ton bon naturel.

ANGÉLIQUE

Ah ! quelle surprise agréable, mon père !
Puisque par un bonheur extrême le Ciel vous
15 redonne à mes vœux, souffrez qu'ici je me jette
à vos pieds pour vous supplier d'une chose. Si
vous n'êtes pas favorable au penchant de mon
cœur, si vous me refusez Cléante pour époux,

---

1. *Ressentiment* : reconnaissance aussi bien que désir de vengeance. Ici, reconnaissance.

je vous conjure au moins de ne me point forcer d'en épouser un autre. C'est toute la grâce que je vous demande.

CLÉANTE *se jette à genoux*

Eh ! Monsieur, laissez-vous toucher à ses prières et aux miennes, et ne vous montrez point contraire aux mutuels empressements d'une si belle inclination.

BÉRALDE

Mon frère, pouvez-vous tenir là contre ?

TOINETTE

Monsieur, serez-vous insensible à tant d'amour ?

ARGAN

Qu'il se fasse médecin, je consens au mariage. Oui, faites-vous médecin, je vous donne ma fille.

CLÉANTE

Très volontiers, Monsieur : s'il ne tient qu'à cela pour être votre gendre, je me ferai médecin, apothicaire même, si vous voulez. Ce n'est pas une affaire que cela, et je ferais bien d'autres choses pour obtenir la belle Angélique.

BÉRALDE

Mais, mon frère, il me vient une pensée : faites-vous médecin vous-même. La commodité sera encore plus grande, d'avoir en vous tout ce qu'il vous faut.

TOINETTE

5 Cela est vrai. Voilà le vrai moyen de vous guérir bientôt : et il n'y a point de maladie si osée, que de se jouer à la personne d'un médecin.

ARGAN

Je pense, mon frère, que vous vous moquez
10 de moi : est-ce que je suis en âge d'étudier ?

BÉRALDE

Bon, étudier ! Vous êtes assez savant ; et il y en a beaucoup parmi eux qui ne sont pas plus habiles que vous.

ARGAN

Mais il faut savoir bien parler latin,
15 connaître les maladies, et les remèdes qu'il y faut faire.

BÉRALDE

En recevant la robe et le bonnet de médecin,
vous apprendrez tout cela, et vous serez après
plus habile que vous ne voudrez.

ARGAN

Quoi ? l'on sait discourir sur les maladies
quand on a cet habit-là ?   5

BÉRALDE

Oui. L'on n'a qu'à parler avec une robe et un
bonnet, tout galimatias devient savant, et toute
sottise devient raison.

TOINETTE

Tenez, Monsieur, quand il n'y aurait que
votre barbe[1], c'est déjà beaucoup, et la barbe   10
fait plus de la moitié du médecin.

CLÉANTE

En tout cas, je suis prêt à tout.

BÉRALDE

Voulez-vous que l'affaire se fasse tout à
l'heure ?

1. Molière portait, semble-t-il, dans le rôle d'Argan des
moustaches et une forte mouche.

ARGAN

Comment tout à l'heure ?

BÉRALDE

Oui, et dans votre maison.

ARGAN

Dans ma maison ?

BÉRALDE

Oui. Je connais une Faculté de mes amies,
5   qui viendra tout à l'heure en faire la cérémonie dans votre salle. Cela ne vous coûtera rien.

ARGAN

Mais moi, que dire, que répondre ?

BÉRALDE

On vous instruira en deux mots, et l'on
vous donnera par écrit ce que vous devez dire.
10   Allez-vous-en mettre un habit décent, je vais
les envoyer querir.

ARGAN

Allons, voyons cela.

CLÉANTE

Que voulez-vous dire, et qu'entendez-vous avec cette Faculté de vos amies… ?

TOINETTE

Quel est donc votre dessein ?

BÉRALDE

De nous divertir un peu ce soir. Les comédiens ont fait un petit intermède de la réception d'un médecin, avec des danses et de la musique ; je veux que nous en prenions ensemble le divertissement, et que mon frère y fasse le premier personnage.

ANGÉLIQUE

Mais mon oncle, il me semble que vous vous jouez un peu beaucoup de mon père.

BÉRALDE

Mais, ma nièce, ce n'est pas tant le jouer, que s'accommoder à ses fantaisies. Tout ceci n'est qu'entre nous. Nous y pouvons aussi prendre chacun un personnage, et nous donner ainsi la comédie les uns aux autres. Le carnaval autorise cela. Allons vite préparer toutes choses.

CLÉANTE, *à Angélique*

Y consentez-vous ?

ANGÉLIQUE

Oui, puisque mon oncle nous conduit.

TROISIÈME INTERMÈDE

C'est une cérémonie burlesque d'un homme qu'on fait médecin en récit[1], chant et danse.

ENTRÉE DE BALLET

Plusieurs tapissiers viennent préparer la salle[2] et placer des bancs en cadence ; ensuite de quoi toute l'assemblée (composée de huit

---

1. Le *récit* ou *récitatif* sont des parties déclamées avec accompagnement de musique. Cette musique, due à Charpentier, a été en grande partie conservée.
2. La réception d'un nouveau docteur se fait normalement dans le grand amphithéâtre de la Faculté de médecine, à l'angle de la rue de la Bûcherie et de la rue de l'Hôtel-Colbert. Pour la cérémonie, la salle était décorée aux frais du candidat, et tendue de tapisseries. C'est une décoration semblable qui est transportée dans l'appartement même d'Argan. Les « trois pièces de tapisserie de haute lisse » avec des perches et des cordes prévues par l'accessoiriste (voir la Note sur le décor de la pièce, p. 265), donneront à la chambre d'Argan l'air de fête qui est de rigueur.

porte-seringues, six apothicaires, vingt-deux docteurs, celui qui se fait recevoir médecin, huit chirurgiens dansants, et deux chantants) entre, et prend ses places, selon les rangs.

PRÆSES[1]

Sçavantissimi doctores,
Medicinae professores,
Qui hic assemblati estis,
Et vos, altri Messiores,
Sententiarum Facultatis   5
Fideles executores,
Chirurgiani et apothicari,
Atque tota compania aussi,
Salus, honor, et argentum,
Atque bonum appetitum.   10

Non possum, docti Confreri,
En moi satis admirari
Qualis bona inventio
Est medici professio,
Quam bella chosa est, et bene trovata,   15

1. Le *praeses*, président, ne peut être qu'un docteur de l'ordre des anciens. La cérémonie à laquelle il préside ici est la *vespérie*. Le discours par lequel il ouvre la séance, au lieu de comporter les hommages habituels à la science, à la vertu, au désintéressement de la Faculté, insiste sur les profits du métier (« Salus, honor, et argentum… »). Est-ce cynisme, ou ingénuité ?

Medicina illa benedicta,
Quae suo nomine solo,
Surprenanti miraculo,
Depuis si longo tempore,
5 *Facit à gogo vivere*
Tant de gens omni genere.

Per totam terram videmus
Grandam vogam ubi sumus,
Et quod grandes et petiti
10 *Sunt de nobis infatuti.*
Totus mundus, currens ad nostros remedios,
Nos regardat sicut Deos ;
Et nostris ordonnanciis
Principes et reges soumissos videtis.

15 *Donque il est nostrae sapientiae,*
Boni sensus atque prudentiae,
De fortement travaillare
A nos bene conservare
In tali credito, voga, et honore,
20 *Et prandere gardam à non recevere*
In nostro docto corpore
Quam personas capabiles,
Et totas dignas ramplire
Has plaças honorabiles.

25 *C'est pour cela que nunc convocati estis :*
Et credo quod trovabitis
Dignam matieram medici

In sçavanti homine que voici,
Lequel, in chosis omnibus,
Dono ad interrogandum,
Et à fond examinandum
Vostris capacitatibus.   5

PRIMUS DOCTOR[1]

Si mihi licenciam dat Dominus Praeses,
Et tanti docti Doctores,
Et assistantes illustres,
Très sçavanti Bacheliero,
Quem estimo et honoro,   10
Domandabo causam et rationem quare
Opium facit dormire.

BACHELIERUS

Mihi a docto Doctore
Domandatur causam et rationem quare
Opium facit dormire :   15
À quoi respondeo,
Quia est in eo
Virtus dormitiva,
Cujus est natura
Sensus assoupire.   20

1. Le premier docteur pose une question de physiologie. La réponse du candidat invoque la vertu dormitive de l'opium, c'est-à-dire qu'il donne une explication d'inspiration aristotélicienne par les «qualités occultes». Molière veut faire entendre que c'est là une pseudo-explication et, en réalité, verbalisme pur et simple.

CHORUS

Bene, bene, bene, bene respondere :
    Dignus, dignus est entrare
    In nostro docto corpore.

SECUNDUS DOCTOR[1]

Cum permissione Domini Praesidis,
        Doctissimae Facultatis,
        Et totius his nostris actis
        Companiae assistantis,
Domandabo tibi, docte Bacheliere,
        Quae sunt remedia
        Quae in maladia
        Ditte hydropisia
        Convenit facere.

BACHELIERUS

        Clysterium donare,
        Postea seignare,
        Ensuitta purgare.

CHORUS

Bene, bene, bene, bene respondere :
    Dignus, dignus est entrare
    In nostro docto corpore.

---

1. Le deuxième et le troisième docteur posent des questions de pathologie : hydropisie, fièvre hectique (de longue durée, continue), maladie pulmonaire, asthme.

TERTIUS DOCTOR

Si bonum semblatur Domini Praesidi,
Doctissimae Facultati
Et companiae praesenti,
Domandabo tibi, docte Bacheliere,
Quae remedia eticis, 5
Pulmonicis, atque asmaticis,
Trovas à propos facere.

BACHELIERUS

Clysterium donare,
Postea seignare,
Ensuitta purgare. 10

CHORUS

Bene, bene, bene, bene respondere :
Dignus, dignus est entrare
In nostro docto corpore.

QUARTUS DOCTOR[1]

Super illas maladias
Doctus Bachelierus dixit maravillas 15
Mais si non ennuyo Dominum Praesidem,
Doctissimam Facultatem,

---

1. Le quatrième docteur propose à la sagacité du candidat un cas concret, c'est l'examen *de praxi*. L'ordre des épreuves correspond à celui qui était effectivement en usage à la Faculté de médecine.

Et totam honorabilem
Companian ecoutantem,
Faciam illi unam quaestionem.
De hiero maladus unus
5   *Tombavit in meas manus :*
Habet grandam fievram cum redoublamentis,
Grandam dolorem capitis,
Et grandum malum au costé,
Cum granda difficultate
10   *Et pena de respirare :*
    Veillas mihi dire,
    Docte Bacheliere,
    Quid illi facere ?

BACHELIERUS

Clysterium donare,
15   *Postea seignare,*
    Ensuitta purgare.

QUINTUS DOCTOR

Mais si maladia
Opiniatria
Non vult se garire,
20   *Quid illi facere ?*

BACHELIERUS

Clysterium donare,
Postea seignare,
Ensuitta purgare.

CHORUS

Bene, bene, bene, bene respondere :
Dignus, dignus est entrare
In nostro docto corpore.

PRÆSES[1]

Juras gardare statuta
Per Facultatem praescripta
Cum sensu et jugeamento ?

5

BACHELIERUS

Juro[2].

PRÆSES[3]

Essere, in omnibus
Consultationibus,

1. Après l'interrogation du candidat, la Faculté devait délibérer sur son admission. Il a répondu assez brillamment et la Faculté qui l'interroge est assez « de ses amies » pour que cette formalité soit omise. Au reste, le chœur des assistants l'a en quelque sorte plébiscité. On passe donc à la prestation de serment. — Le premier article du serment d'Argan reprend, aussi fidèlement qu'une traduction en vers peut le faire, le premier point du serment véritable : *Quod observabis jura, statuta, leges, et laudabiles consuetudines hujus ordinis* («Jure que tu observeras les droits, les statuts, les lois et les coutumes louables de notre ordre»).

2. C'est à l'un de ces *juro* que Molière fut pris d'une «convulsion» (Grimarest, *Vie de M. de Molière*, 1705). Il eut le courage de rester en scène jusqu'à la fin.

3. Le deuxième article du serment médical était un engage-

> *Ancieni aviso,*
> > > *Aut bono,*
> > > *Aut mauvaiso ?*

BACHELIERUS

Juro.

PRÆSES[1]

5
> *De non jamais te servire*
> *De remediis aucunis*
> *Quam de ceux seulement doctae Facultatis,*
> *Maladus dust-il crevare,*
> *Et mori de suo malo ?*

BACHELIERUS

10
> *Juro.*

———

ment d'assister à l'office pour les docteurs défunts. On eût crié
au scandale si Molière avait fait allusion à une cérémonie religieuse (rappelons-nous le *sermon* et la parodie des dix commandements qu'on lui avait reprochés dans *L'École des
femmes*). Il a donc remplacé cet article par un autre, respect aux
anciens, qui ressemble beaucoup à un autre serment médical, à
celui des bacheliers : « Rendre hommage et respect au doyen et
à tous les maîtres de la Faculté. »

1. Le troisième article du serment est une renonciation à tous
les remèdes non approuvés par la Faculté, donc aux médicaments nouveaux, qui sont ordinairement ceux sur lesquels les
opérateurs établissent leur réputation et leur fortune. Le troisième article du serment des bacheliers était une déclaration de
guerre contre « ceux qui pratiquent illicitement » la médecine.

PRÆSES

Ego, cum isto boneto[1]
Venerabili et docto,
Dono tibi et concedo
Virtutem et puissanciam
Medicandi,   5
Purgandi,
Seignandi,
Perçandi,
Taillandi,
Coupandi.   10
Et occidendi
Impune per totam terram.

ENTRÉE DE BALLET

Tous les Chirurgiens et Apothicaires viennent lui faire la révérence en cadence.

---

1. Ce bonnet est le bonnet carré des docteurs. La formule par
laquelle le président le confère rappelle la formule réelle : «En
vertu de l'autorité du siège apostolique, dont je suis investi en
cette circonstance, je te donne la licence d'enseigner et d'exercer la médecine, ici et dans le monde entier.» Molière ne pouvait faire sur la scène allusion au siège apostolique ; il s'est
rattrapé en concédant au nouveau docteur le droit de purger, sai-
gner, percer, tailler, couper et occire. Ce sont toutes les fonctions non du médecin, mais de l'apothicaire et du chirurgien.
Mais Molière, en la circonstance, englobe dans une commune
dérision toutes les professions médicales et paramédicales.

BACHELIERUS[1]

> *Grandes doctores doctrinae*
> *De la rhubarbe et du séné,*
> *Ce serait sans douta à moi chosa folla,*
> *Inepta et ridícula,*
> 5   *Si j'alloibam m'engageare*
> *Vobis louangeas donare,*
> *Et entreprenoibam adjoutare*
> *Des lumieras au soleillo,*
> *Et des étoilas au cielo,*
> 10   *Des ondas à l'Oceano,*
> *Et des rosas au printanno.*
> *Agreate qu'avec uno moto,*
> *Pro toto remercimento,*
> *Rendam gratiam corpori tam docto.*
> 15   *Vobis, vobis debeo*
> *Bien plus qu'à naturae et qu'à patri meo :*
> *Natura et pater meus*
> *Hominem me habent factum ;*
> *Mais vos me, ce qui est bien plus,*
> 20   *Avetis factum medicum,*

---

1. Le remerciement du nouveau docteur fait aussi partie de la délivrance du doctorat. On a gardé un extrait d'un discours sur le thème : *Medicus deo similis*, le médecin est semblable à Dieu. Au reste, personne ne formule jamais l'hypothèse que dans ces hyperboles (procédés d'exagération) pourrait entrer quelque peu d'ironie. Pourquoi l'exclure *a priori* ? Les gens du XVIIe siècle avaient-ils moins d'esprit que nous ? Ne savaient-ils pas sourire ?

Honor, favor, et gratia
Qui, in hoc corde que voilà,
Imprimant ressentimenta
Qui dureront in secula.

CHORUS

Vivat, vivat, vivat, vivat, cent fois vivat,   5
  Novus Doctor, qui tam bene parlat !
Mille, mille annis et manget et bibat,
     Et seignet et tuat !

ENTRÉE DE BALLET

Tous les Chirurgiens et les Apothicaires dansent au son des instruments et des voix, et des battements de mains, et des mortiers[1] d'apothicaires.

CHIRURGUS

  Puisse-t-il voir doctas
  Suas ordonnancias   10
Omnium chirurgorum
Et apothiquarum
  Remplire boutiquas !

---

1. *Mortier* : récipient où l'on pile les drogues.

CHORUS

Vivat, vivat, vivat, vivat, cent fois vivat,
 Novus Doctor, qui tam bene parlat !
Mille, mille annis et manget et bibat,
 Et seignet et tuat !

CHIRURGUS

5   *Puissent toti anni*
     Lui essere boni
     Et favorabiles,
     Et n'habere jamais
     Quam pestas, verolas
10   *Fievras, pluresias,*
 Fluxus de sang, et dyssenterias !

CHORUS

Vivat, vivat, vivat, vivat, cent fois vivat,
 Novus Doctor, qui tam bene parlat !
Mille, mille annis et manget et bibat,
15   *Et seignet et tuat !*

DERNIÈRE ENTRÉE DE BALLET

DOSSIER

LE MALADE IMAGINAIRE :
SPECTACLE ET COMÉDIE

Dossier pédagogique par Julien Ledda
Professeur au lycée Jules-Michelet de Vanves

INTRODUCTION

Étudier *Le Malade imaginaire* dans la double perspective du spectacle et de la comédie, c'est s'intéresser à une longue tradition du divertissement public. L'étymologie latine « *spectare* » (regarder, voir), dont est issu le terme spectacle, donne un premier élément de définition de ce champ artistique et disciplinaire multiple. Des jeux du cirque antique à la représentation théâtrale contemporaine, en passant par la danse, l'opéra ou même le cinéma, le spectacle se décline au cours de son histoire et selon les civilisations sous des formes aussi nombreuses que variées, réunies au sein de l'ensemble hétérogène des « arts du spectacle ». « Vivant » lorsqu'il suppose une action interprétée par des actants sous les yeux d'un public, « filmé » dans le cas d'une production cinématographique ou télévisuelle, tantôt sacré, tantôt profane et populaire, le spectacle va même jusqu'à prendre à contre-pied l'étymologie lorsque sous la plume de Musset il se dit « dans un fauteuil » et, refusant de s'offrir et d'être regardé à travers l'incarnation scénique, est fait pour être lu plutôt que vu. Mais avec *Le Malade ima-*

ginaire, le spectacle est inscrit dans le genre même de la pièce : une comédie-ballet.

La comédie moliéresque s'inscrit elle aussi dans une longue tradition spectaculaire. Grecque avant d'être latine, la comédie naît dans l'Antiquité à l'occasion des processions ou des concours organisés dans le cadre des grandes fêtes religieuses (les *dionysies*) ou agricoles (les *lénées*, ou fêtes des pressoirs) et sert alors des enjeux à la fois religieux, politiques, sociaux et éducatifs. Secondaire à l'époque classique, derrière la tragédie, genre noble et sérieux par excellence, la comédie met en scène des personnages issus du peuple, des bourgeois et des valets ou servantes qui, pris dans des intrigues relevant *a priori* de la sphère privée, n'en questionnent pas moins nombre d'aspects sociaux et collectifs. Derrière le rire et le spectacle, la comédie se fait le lieu d'une satire des mœurs, en même temps qu'elle sert un but moral et didactique qui, sur le modèle de la locution latine *castigat ridendo mores,* entend « châtier les mœurs en riant » et inciter les hommes à corriger les travers dont elle exacerbe, jusqu'au rire, le ridicule.

Dans la *Critique de l'École des femmes*, Molière constate que c'est une « étrange entreprise que celle de faire rire les honnêtes gens ». Faire rire, c'est bien le credo que se fixe le dramaturge moraliste, qui entend « travailler à rectifier et adoucir les passions des hommes » en les amusant, par le biais du divertissement comique. Auteur le plus joué encore aujourd'hui à la Comédie-Française, Molière, acteur, dramaturge et directeur de troupe, a donné ses lettres de noblesse au spectacle de la comédie. Dernière de ses œuvres, *Le Malade imaginaire* (1673) se trouve à la croisée des genres. Comédie en trois actes, qui mêle à la farce une satire impitoyable de la médecine et des médecins de son temps, elle se fait également spectacle de danse, musique et chant, auquel collaborent le musicien

Marc-Antoine Charpentier et le danseur Pierre Beau-champ. *Le Malade imaginaire* offre ainsi une déclinaison plurielle du spectacle.

Comment envisager la pièce de Molière dans sa dimension spectaculaire et comique ? Il s'agira de voir tout d'abord comment différents types de spectacle peuvent se mêler au sein d'une même œuvre, puis de montrer dans quelle mesure et de quelle manière comédie et spectacle peuvent s'allier pour servir des enjeux à la fois artistiques et sociaux, voire politiques. On fera intervenir également en complément de l'étude *L'Amour médecin* (1665), autre comédie-ballet en trois actes de Molière, ainsi que *Knock ou le Triomphe de la Médecine* (1923) de Jules Romains, deux pièces dans lesquelles les dramaturges se livrent, à deux siècles et demi de distance l'un de l'autre, à une même dénonciation satirique de l'imposture médicale en faisant du rire un spectacle.

LA COMÉDIE-BALLET

Création d'un genre : hybridation et rivalité avec l'opéra

Le Malade imaginaire est une comédie-ballet. Il importe de commencer par situer le genre dans l'évolution des spectacles, afin de comprendre la place singulière qu'occupe la pièce de Molière.

Objet d'art original et hybride, la comédie-ballet intègre des intermèdes musicaux ainsi que des morceaux chantés et dansés. Molière est l'inventeur du genre, qui répond alors à la passion du roi et de la cour pour la danse et la musique. Ce faisant, Molière intègre le divertissement de cour à la création littéraire, par une mise en abyme du spectacle. Dans un contexte de rivalité entre le théâtre et l'opéra, Molière trouve avec ce nouveau genre une manière d'enrichir et de renouveler l'esthétique de la comédie, mais aussi de remotiver le goût du roi pour ses pièces. De sa collaboration avec le compositeur Marc-Antoine Charpentier naissent ainsi *Le Malade imaginaire*, *Le Médecin malgré lui* ou encore *Le Dépit amoureux*, tandis qu'il crée avec Lully *L'Amour médecin* ou encore *Le Bourgeois gentilhomme*. Cette dernière est la seule de ses pièces à être sous-titrée « comédie-ballet », les autres se présentant pour la plupart comme des « comédie[s] mêlée[s] de musique et de danse ».

Comédie, chant, danse et musique dans Le Malade imaginaire

Avec ce chef-d'œuvre testamentaire, Molière dresse une critique implicite de l'opéra, à partir de ce qui le compose : la musique et le chant, auxquels se joignent les danses. Le dramaturge tient une position ambiguë à l'égard de ces derniers, qu'il ne parvient à concevoir et à accepter que comme des outils mis au service de la comédie, et insérés dans la pièce pour en redoubler, illustrer, compléter ou contraster le propos et le jeu scénique. Plus rarement, le chant permet de se substituer à la parole et de contourner l'interdit. Angélique répète six fois « Je vous aime » à Cléante au cours de la leçon de chant de la scène v de l'acte II : elle chante devant tous l'amour qui ne peut être dit publiquement. Mais la critique de l'opéra prend par ailleurs le dessus dans la pièce, et le « petit opéra impromptu » que Cléante propose de chanter à Angélique (tout en s'excusant de n'être pas bon chanteur) dénonce avant tout la maladresse des livrets d'opéra et de leur « prose cadencée, ou manières de vers libres ». De même, un certain effet comique est ménagé lorsque le jeune homme fait croire à Argan qu'a été mise au point « depuis peu l'invention d'écrire les paroles avec les notes mêmes » ; Molière déplore ainsi, implicitement, le sacrifice du mot à la note, de la comédie à l'opéra, de son art à celui de Lully, son rival direct auprès du roi. Dans ce jeu de concurrence, la comédie triomphe cependant dans la pièce, qui seule parvient à divertir et à égayer Argan en lui offrant un rôle à jouer, celui du bachelier recevant la robe de médecin au cours d'une cérémonie qui ridiculise l'opéra à travers une parole chantée en latin fantaisiste et macaronique (le terme macaronique désigne une langue mêlant des mots français et des mots latins, de manière à produire des effets burlesques).

Prolongement culturel :
« Le roi danse », film de Gérard Corbiau (2000)

Le roi danse, film franco-belge réalisé en 2000, offre un contrepoint tout à fait passionnant pour comprendre le contexte du *Malade imaginaire*. Il met en scène la collaboration artistique de Molière, Lully et Louis XIV, mais également l'orgueil, la corruption, la rivalité et l'ambition des artistes. On voit ainsi un Louis XIV vieillissant — incarné par Benoît Magimel — renoncer à son art, la danse, par refus orgueilleux de laisser voir à ses courtisans sa perte d'agilité, tandis que Molière et Lully se déchirent, ce dernier prenant progressivement l'ascendant jusqu'à refuser de mettre sa musique lyrique au service du jeu burlesque de son rival. L'accent est également mis sur l'importance de la danse à la cour de Louis XIV, qui, excellent danseur de ballet, use de cet art comme d'un outil stratégique et d'un instrument politique pour renforcer son pouvoir et sa notoriété. Le film rappelle le triomphe du jeune roi dans le *Ballet royal de la nuit*, spectacle fondateur de sa mythologie personnelle, qui installe durablement la figure et l'idéologie du « Roi-Soleil ». Mise en scène d'une politique-spectacle et des relations tantôt partisanes, tantôt rivales entre les différents arts, *Le roi danse* insiste sur la manière dont les fils se tissent puis se dénouent entre les artistes, qui ne triomphent tous pleinement que lorsqu'ils travaillent en bonne entente.

ARGAN : PORTRAIT D'UN MALADE

La pièce s'ouvre sur le personnage d'Argan, le « malade imaginaire » qu'annonce le prologue. Cette scène d'exposition prend la forme d'un monologue, qui ne remplit pas de façon traditionnelle son rôle de présentation de l'intrigue et des personnages. Elle est en revanche focalisée sur le personnage principal et, tel un miroir grossissant, montre ses manies.

L'avare hypocondriaque

Le premier mouvement du monologue insiste sur les obsessions croisées d'Argan, avare et hypocondriaque. Molière fait alterner plusieurs voix, portées par le personnage seul, qui dialogue avec des absents. Tandis qu'il fait ses comptes et calcule le coût des différentes médecines achetées au cours du mois à M. Fleurant, Argan adopte tour à tour la voix de celui-ci, qui annonce les tarifs, celle de l'avare, qui divise par deux ou plus les sommes réclamées, et celle du malade, qui commente les effets et bienfaits des traitements reçus. Différents registres se côtoient d'emblée : à celui du bourgeois soucieux d'économie, fait d'avares protestations, de calculs répétés, d'énumérations de chiffres et autres « trois et deux font cinq, et cinq font dix, et dix font vingt », répond la langue jargonneuse de l'apothicaire, qui décline les effets de ses traitements sous des accumulations de verbes synonymes, jusqu'au pléonasme (dire deux fois la même chose). Ainsi tel breuvage est-il deux fois dormitif puisque « soporatif et somnifère », quand tel autre « petit-lait » vise à « adoucir, lénifier, tempérer et rafraîchir le sang de monsieur » : autant de termes pour indiquer une même fonction d'apaisement. Les nom-

breuses répétitions et énumérations de l'un, la pédanterie
jargonnesque de l'autre, associées au jeu de faux dialogue
tenu par un seul, ménagent un puissant effet comique,
que renforcent les jeux sur les noms. Le nom de l'apothicaire, M. Fleurant, correspond ironiquement aux fonctions purgatives des traitements qu'il délivre et qu'il doit
« fleurer » pour les évaluer ; celui du médecin Purgon
redouble, par proximité avec le verbe « purger », la nature
des lavements qu'il prescrit. Argan quant à lui porte un
nom proche de l'argent qui l'obsède, et qui redouble de
façon comique, en l'inscrivant dans son identité civile, sa
nature de bourgeois économe et calculateur. Mais *argos*
signifie aussi « oisif, négligé, inerte et impuissant » en
grec. On peut enfin voir en Argan la version burlesque du
personnage d'Argant de *La Jérusalem délivrée* du Tasse,
poème épique qui fait le récit de la première croisade vers
Jérusalem et dans lequel Argant compte parmi les oppo-
sants aux croisés. Le nom fait peut-être encore explicite-
ment référence à l'huile d'argan, utilisée comme remède
émollient depuis l'Antiquité. La fin de ce premier mouvement montre le personnage comptant (non sans plaisir)
les « une, deux, trois, quatre, cinq, six, sept et huit médecines, et un, deux, trois, quatre, cinq, six, sept, huit, neuf,
dix, onze et douze lavements », qui ne perdent en saveur
qu'au regard des « douze médecines et vingt lavements »
pris le mois précédent.

Le malade est roi

Le second mouvement du texte révèle les exigences
d'un maître de maison despote ; pour son entourage il
se pose en malade roi, au même titre qu'il est le client
roi de ses médecins. Sitôt Argan achève-t-il ses comptes
qu'il prend conscience qu'il est seul et exige de ne plus

l'être. Son impatience surgit immédiatement : il exige que la disponibilité et la hâte de son entourage à le satisfaire soient immédiates. L'effet comique éclate lorsque, après avoir sonné sans réponse, il se réifie et se fait sonnette lui-même ; il répète en criant l'onomatopée « Drelin », va jusqu'à proférer une insulte populaire, voire vulgaire, pour appeler sa servante : « Chienne ! coquine ! », « Carogne, à tous les diables ! ». Par ce comique farcesque et ce comique de mots, le passage révèle en creux la peur d'un personnage que la solitude angoisse, et qui aime à se sentir entouré et choyé.

Cette première scène dévoile la tension qui se noue autour du personnage principal : obsédé par la maladie et par ses médications, Argan est avant tout un personnage coupé du monde. Sur le plan dramaturgique, le monologue inaugural expose essentiellement le caractère de l'hypocondriaque ; il n'est nullement question de nouer une intrigue (autour d'un mariage, par exemple), mais de montrer d'emblée la manie d'Argan, à l'origine des futures actions de la pièce.

Prolongement culturel :
maladie, médecin et médecine au temps de Molière

Au XVIIᵉ siècle, la médecine repose encore majoritairement sur le savoir et les théories anciennes d'Hippocrate, Aristote ou encore Galien. Ainsi l'antique « théorie des humeurs » est-elle toujours au premier plan de la médecine : pour assurer l'équilibre entre sang, lymphe, bile noire et bile jaune, elle préconise et pratique en nombre saignées, purges et lavements. En parallèle, les connaissances anatomiques demeurent restreintes, limitées à l'apparence externe du corps humain, et les études médicales, superficielles, ne sont qu'apprentissage de théories et ne forment à aucune sorte de pratique. Les maladies, notamment pulmonaires et vénériennes, sont alors nombreuses, du fait d'une hygiène déplorable, et restreignent l'espérance de vie moyenne à vingt-cinq ans, et les chances pour un enfant de devenir adulte à une sur deux. Seules les personnes les plus aisées peuvent alors prétendre aux soins des médecins, rares et onéreux, tandis que charlatans, guérisseurs non conventionnels et vendeurs de remèdes arpentent les quartiers les plus populaires des villes pour y offrir leurs services aux malades.

Le Malade imaginaire reflète les avancées médicales de son temps et les polémiques qu'elles suscitent. En 1628, le médecin anglais William Harvey découvre la circulation sanguine. Jusqu'au XVIIe siècle, on considère que le foie produit le sang, tandis que le cœur le charge d'un esprit vital plus ou moins mystérieux. Les découvertes de Harvey permettent de démontrer que le volume de sang est constant pour un individu donné et que le cœur est une pompe qui permet au sang de circuler. Dans la pièce, Thomas Diafoirus incarne le refus de la découverte scientifique, l'aveuglement et la bêtise.

LE SPECTACLE DE LA MÉDECINE

Lecture linéaire d'un extrait de la scène v de l'acte II

[de « Que dans les choses qui dépendront
de notre métier (p. 129) » à « On n'est obligé qu'à traiter
les gens dans les formes (p. 140) »]

Dans la scène v de l'acte II, Argan reçoit chez lui les Diafoirus père et fils, afin de leur présenter sa fille. Même si la première scène n'annonçait pas d'enjeux matrimoniaux, Argan a cependant une intention : marier sa fille Angélique à Thomas Diafoirus, fils de médecin et médecin lui-même, en qui il voit un gendre d'autant plus idéal qu'il le pense « utile à [sa] santé ».

Présentation et hommages d'un prétendant ridicule

La scène s'ouvre sur l'échange ridicule et confus d'Argan et de Diafoirus père, qui « parlent tous deux en même temps, s'interrompent et confondent », tandis qu'ils se transmettent leurs salutations mutuelles. La parole déréglée des pères, et toujours à contretemps, annonce un plus grand ridicule encore : l'apparition du fils, Thomas, « grand benêt » infantilisé, qui attend l'approbation paternelle avant chaque geste (« baiserai-je ? ») et chaque parole (« cela a-t-il bien été, mon père ? »). Rapidement, Thomas Diafoirus s'impose par sa rhétorique mécanique, faite de clichés et d'ornements verbeux, parodie du langage précieux : il use de périphrases (« second père », « astre du jour »), d'hyperboles, de superlatifs et d'emphases (les « très humbles et très respectueux hommages », le « très humble, très obéissant et très fidèle serviteur et mari »).

Maladresses et lourdeurs de style, références malhabiles ou encore comparaisons grotesques se multiplient, allant jusqu'à assimiler le prétendant lui-même à un végétal (la « fleur nommée héliotrope »).

Le comique culmine quand le jeune médecin confond sa promise avec sa belle-mère et débite à la première les hommages initialement prévus pour la seconde ; le ridicule est achevé lorsqu'il demande malgré tout à son père s'il lui faut poursuivre le compliment destiné à la belle-mère en l'absence de cette dernière (« attendrai-je, mon père, qu'elle soit venue ? »). Le quiproquo comique révèle ici la pratique formaliste d'une rhétorique retenue par cœur et plaquée aussi mécaniquement que sans discernement sur les situations réelles.

Satire et spectacle de la médecine

Le point culminant de la satire de la médecine est atteint dans la louange paradoxale que Monsieur Diafoirus fait de son fils. Cet éloge souligne le manque d'intelligence et de talent de Thomas, en plus de le définir majoritairement par la négative, par ce qu'il n'est pas ou n'a pas. Le père place sous un jour qu'il croit avantageux ce fils qui « n'a jamais eu l'intelligence bien vive » ni « n'a jamais été [...] mièvre et éveillé » : car il fait de ces caractéristiques, au même titre que la « lenteur à comprendre », des qualités essentielles à l'exercice de la médecine. Pour être médecin, il faut donc être sot, suggère Molière — mais aussi réfractaire à toute forme d'innovation et de progrès scientifique. Thomas fait ainsi la fierté de son père par son immobilisme rétrograde, son attachement « aveugle » aux théories anciennes, et par sa thèse consacrée à la réfutation des théories médicales nouvelles. Par ailleurs, sa tentative de séduction est elle-même médicalisée : Thomas propose à Angélique, en guise de présent, sa propre thèse, et, au lieu de galanteries, d'assister à une séance de dissection. La médecine, qui relevait jusqu'alors d'une forme d'art oratoire mêlé de préciosité, se voit maintenant assimilée à un spectacle, à un divertissement, au même titre que la comédie avec laquelle Toinette la met en parallèle : « Il y en a qui donnent la comédie à leurs maîtresses, mais donner une dissection est quelque chose de plus galant. » Porte-parole de l'auteur, la servante se fait la spectatrice railleuse du spectacle des médecins, en commentant avec une impertinence et une ironie proches du persiflage les diverses propositions du prétendant.

Cette scène comique résume l'une des ambitions de la pièce : tourner en dérision la médecine en faisant d'elle un spectacle burlesque.

Prolongement littéraire : « Knock ou le Triomphe de la Médecine » de Jules Romains (1923)

Comédie en trois actes de Jules Romains, cette pièce est restée célèbre notamment pour cette formule du docteur Knock : « Toute personne bien portante est un malade qui s'ignore. » Dans la lignée de Molière, l'auteur s'y livre à une même dénonciation des abus de pouvoir des médecins, à travers un personnage de docteur dont l'ambition est de faire triompher sa « méthode médicale entièrement neuve » et son idéologie scientifique, et qui y parvient en jouant sur les peurs et la naïveté de ses patients. Immortalisé par le célèbre acteur Louis Jouvet, le docteur Knock est un personnage inquiétant.

FARCE ET SPECTACLE

Lecture linéaire de *L'Amour médecin* de Molière, acte II, scène v

D'un style plus grossier que celui de la comédie, la farce, genre théâtral qui existe depuis l'Antiquité, repose sur un registre burlesque et un humour bouffon. Le comique visuel y est très marqué, inspiré par les techniques de jeu et par les personnages de la *commedia dell'arte* italienne. Molière intègre des caractéristiques et des morceaux de farce à ses comédies, comme le montrent plusieurs scènes de *L'Amour médecin*. L'auteur fait précéder cette comédie-ballet en trois actes d'un avis au lecteur qui rappelle l'importance du jeu des acteurs et des effets de mise en scène, seuls à pouvoir pleinement rendre compte du spectacle farcesque. Dans la scène v de l'acte II cependant, le comique de langage est suffisamment appuyé pour faire sentir la farce sous le texte et provoquer le rire du lecteur.

SCÈNE V

SGANARELLE, MESSIEURS MACROTON
et BAHYS, *médecins*

SGANARELLE : À qui croire des deux ? et quelle résolution prendre sur des avis si opposés ? Messieurs, je vous conjure de déterminer mon esprit, et de me dire, sans passion, ce que vous croyez le plus propre à soulager ma fille.

MONSIEUR MACROTON. *Il parle en allongeant ses mots :* Mon-si-eur. dans. ces. ma-ti-è-res. là. il. faut. pro-cé-der. a-vec-que. cir-cons-pec-tion. et. ne. ri-en. fai-re, com-me. on. dit, à. la. vo-lé-e. D'au-tant. que. les. fau-tes. qu'on. y. peut. fai-re. sont. se-lon. no-tre. Maî-tre. Hip-po-cra-te. d'une. dan-ge-reu-se. con-sé-quen-ce.

MONSIEUR BAHYS. *Celui-ci parle toujours en bre-douillant :* Il est vrai. Il faut bien prendre garde à ce qu'on fait. Car ce ne sont pas ici des jeux d'enfant ; et quand on a failli, il n'est pas aisé de réparer le manquement, et de rétablir ce qu'on a gâté. *Experimentum periculosum*[1]. C'est pourquoi il s'agit de raisonner auparavant, comme il faut, de peser mûrement les choses, de regarder le tempérament[2] des gens, d'examiner les causes de la maladie, et de voir les remèdes qu'on y doit apporter.

SGANARELLE : L'un va en tortue, et l'autre court la poste.

MONSIEUR MACROTON : Or. Mon-si-eur. pour. ve-nir. au. fait. je. trou-ve. que. vo-tre. fil-le. a. u-ne. ma-la-die. chro-ni-que. et. qu'el-le. peut. pé-ri-cli-ter. si. on. ne. lui. don-ne. du. se-cours ; d'au-tant. que. les. symp-tô-mes. qu'el-le. a, sont. in-di-ca-tifs. d'u-ne. va-peur. fu-li-gi-neu-se. et. mor-di-can-te[3], qui. lui. pi-co-te. les. mem-bra-nes. du. cer-veau. Or. cet-te. va-peur. que. nous. nom-mons. en. grec. *at-mos*. est. cau-sé.e. par. des. hu-meurs. pu-tri-des, te-na-ces[4], et. con-glu-ti-neu-ses[5], qui. sont. con-te-nues. dans. le. bas. ven-tre.

MONSIEUR BAHYS : Et comme ces humeurs ont été là engendrées, par une longue succession de temps ; elles s'y sont recuites, et ont acquis cette malignité, qui fume vers la région du cerveau.

MONSIEUR MACROTON : Si. bi-en, donc. que. pour. ti-rer, dé-ta-cher, ar-ra-cher, ex-pul-ser, é-va-cu-er. les-di-tes. hu-meurs, il. fau-dra. u-ne. pur-ga-ti-on. vi-gou-reu-se. Mais. au. pré-a-la-ble, je. trou-ve, à. pro-pos, et. il. n'y. a. pas. d'in-con-vé-ni-ent. d'u-ser. de. pe-tits. re-mè-des. a-no-dins[6]. c'est-à-di-re, de. pe-tits. la-ve-ments.

---

1. Expérience dangereuse.
2. L'équilibre des humeurs.
3. Acide et piquante.
4. Visqueuses et gluantes.
5. Liées par quelque chose de gluant.
6. Calmants.

ré-mol-li-ents. et. dé-ter-sifs[1], de. ju-lets[2]. et. de. si-rops. ra-fraî-chis-sants. qu'on. mê-le-ra. dans. sa. pti-san-ne[3].

MONSIEUR BAHYS : Après nous en viendrons à la purgation et à la saignée, que nous réitérerons s'il en est besoin.

MONSIEUR MACROTON : Ce. n'est. pas. qu'a-vec. tout. ce-la, vo-tre. fil-le. ne. puis-se. mou-rir ; mais. au. moins. vous. au-rez. fait. quel-que. cho-se, et. vous. au-rez. la. con-so-la-tion, qu'el-le. se-ra. mor-te. dans. les. for-mes.

MONSIEUR BAHYS : Il vaut mieux mourir selon les règles, que de réchapper contre les règles.

MONSIEUR MACROTON : Nous. vous. di-sons. sin-cè-re-ment. no-tre. pen-sée.

MONSIEUR BAHYS : Et nous vous avons parlé, comme nous parlerions à notre propre frère.

SGANARELLE, *à M. Macroton :* Je. vous. rends. très. hum-bles. grâ-ces. *À M. Bahys.* Et vous suis infiniment obligé de la peine que vous avez prise.

1. Ramollissants et purifiants.
2. Potions.
3. Tisane.

Médecins burlesques et diagnostic fantaisiste

Après avoir reçu, dans la scène précédente, les avis opposés de deux premiers médecins quant au diagnostic et au traitement à appliquer à la maladie de sa fille, Sganarelle reçoit à présent les docteurs Macroton et Bahys. Le comique farcesque éclate dès la prise de parole du premier : il repose sur le comique de langage de ce médecin qui « parle en allongeant les mots », comme l'indique la didascalie. Le ridicule de cette prononciation est marqué textuellement dans les répliques du personnage, qui décomposent par syllabes chacune de ses prises de parole. Au ridicule de ce premier médecin répond le ridicule du second, dont la didascalie indique qu'il « parle toujours en bredouillant » — sans que cette indication ne soit cependant redoublée par un marquage textuel, laissant ainsi sa liberté d'interprétation à l'acteur. Le commentaire de Sganarelle achève de parfaire le ridicule de ces deux premières prises de parole, qui crée le contraste comique entre les deux rythmes d'élocution : « L'un va en tortue, et l'autre court la poste. » Le langage farcesque se déploie par ailleurs à travers l'emploi excessif, et jusqu'à la lourdeur, voire à la fatrasie[1], d'un vocabulaire savant qui, au registre soutenu, mêle le lexique médical (« vapeur fuligineuse et mordicante », « humeurs putrides tenaces et conglutineuses ») et la gratuité pédante de la référence gréco-latine (« *experimentum periculosum* », « *atmos* »). L'annonce du diagnostic, enfin, théorie fantaisiste de vapeurs « putrides » et « tenaces » remontées dans le cer-

---

1. La fatrasie est à l'origine une forme poétique médiévale. On l'utilise ici pour désigner une parole fantaisiste qui enchaîne les incohérences et les absurdités. Le personnage de Sganarelle dans *Dom Juan*, par exemple, s'illustre de même par sa fatrasie.

veau après une trop longue macération dans le bas-ventre, est d'un comique achevé, qui dit l'ignorance totale de l'anatomie humaine et réduit la médecine à un art plus proche du spectacle d'improvisation que de la science.

Des principes comiques des médecins, et de l'éthique douteuse de la médecine

Le farcesque éclate également dans les principes médicaux énoncés par Macroton et Bahys dans la deuxième partie de la scène, caricature du formalisme excessif que Molière reproche aux médecins. Ici, les médecins bouffons préfèrent s'attacher à la manière plutôt qu'au résultat, au spectacle du traitement plutôt qu'à la guérison ; il est à l'image de leur langage, attaché à la forme plutôt qu'au fond. Ainsi, le principe de la médecine selon ces deux médecins n'est pas tant de sauver et de garder en vie le patient que de veiller à ce qu'il meure « dans les formes » et « selon les règles ». La probable inefficacité du traitement prescrit est donc admise, soulignée par un subjonctif présent qui envisage l'éventualité de la mort de Lucinde : « Ce n'est pas qu'a-vec tout ce-la, vo-tre fil-le ne puis-se mou-rir. » Mais cette éventualité se mue immédiatement après en quasi-certitude, concrétisée dans la langue par un triple emploi du futur antérieur et du futur : « au moins vous au-rez fait quel-que cho-se, et vous au-rez la con-so-la-tion, qu'el-le se-ra mor-te dans les for-mes ».

Prolongement culturel : le langage farcesque comme spectacle

Si la farce repose en partie sur le comique visuel, qui convoque gestuelle appuyée et facéties acrobatiques diverses, le langage peut lui aussi se faire spectacle et farce lorsqu'il est poussé à la plus haute fantaisie ou familiarité. Le langage farcesque peut ainsi convoquer tics et défauts de prononciation, accents appuyés, jargons pseudo-érudits et touchant à la fatrasie, dialectes, mais aussi injures, latin macaronique ou encore jeux de mots, effets de répétition et autres calembours souvent peu subtils mais qui ont pour effet de provoquer le rire franc et immédiat. Molière, en qui ses contemporains voyaient la « survivance de Scaramouche », illustre comédien italien, allait jusqu'à entrecouper son propre jeu et son texte de hoquets feints.

COMMENT LE SPECTACLE SERT LA SATIRE

Lecture linéaire de *Knock* de Jules Romains, acte III, scène VI

Knock ou le Triomphe de la Médecine sert une satire de la médecine comparable à celle de Molière. À travers un personnage de médecin aussi opportuniste et mégalomane que fin psychologue et brillant homme d'affaires, c'est toute une dénonciation de la science devenue instrument de pouvoir qui est opérée, portée par le registre comique et transmise par le biais du spectacle. La scène VI de l'acte III de cette pièce présente le bilan extraordinaire des trois mois d'exercice de Knock à Saint-Maurice, bilan que dresse ce charlatan à son prédécesseur ébahi, Parpalaid.

SCÈNE VI

LES MÊMES, *moins* MOUSQUET

LE DOCTEUR : Vous ne m'accusez plus maintenant de vous avoir « roulé » ?

KNOCK : L'intention y était bien, mon cher confrère.

LE DOCTEUR : Vous ne nierez pas que je vous ai cédé le poste, et le poste valait quelque chose.

KNOCK : Oh ! vous auriez pu rester. Nous nous serions à peine gênés l'un l'autre. M. Mousquet vous a parlé de nos premiers résultats ?

LE DOCTEUR : On m'en a parlé.

KNOCK, *fouillant dans son portefeuille :* À titre tout à fait confidentiel, je puis vous communiquer quelques-uns de mes graphiques. Vous les rattacherez sans peine à notre conversation d'il y a trois mois. Les consultations d'abord. Cette courbe exprime les chiffres hebdomadaires.

Nous partons de votre chiffre à vous, que j'ignorais, mais que j'ai fixé approximativement à 5.

LE DOCTEUR : Cinq consultations par semaine ? Dites le double hardiment, mon cher confrère.

KNOCK : Soit. Voici mes chiffres à moi. Bien entendu, je ne compte pas les consultations gratuites du lundi. Mi-octobre, 37. Fin octobre : 90. Fin novembre : 128. Fin décembre : je n'ai pas encore fait le relevé, mais nous dépassons 150. D'ailleurs, faute de temps, je dois désormais sacrifier la courbe des consultations à celle des traitements. Par elle-même la consultation ne m'intéresse qu'à demi : c'est un art un peu rudimentaire, une sorte de pêche au filet. Mais le traitement, c'est de la pisciculture.

LE DOCTEUR : Pardonnez-moi, mon cher confrère : vos chiffres sont rigoureusement exacts ?

KNOCK : Rigoureusement.

LE DOCTEUR : En une semaine, il a pu se trouver, dans le canton de Saint-Maurice, cent cinquante personnes qui se soient dérangées de chez elles pour venir faire queue, en payant, à la porte du médecin ? On ne les y a pas amenées de force, ni par une contrainte quelconque ?

KNOCK : Il n'y a fallu ni les gendarmes, ni la troupe.

LE DOCTEUR : C'est inexplicable.

KNOCK : Passons à la courbe des traitements. Début octobre, c'est la situation que vous me laissiez ; malades en traitement régulier à domicile : 0, n'est-ce pas ? (*Parpalaid esquisse une protestation molle.*) Fin octobre : 32. Fin novembre : 121. Fin décembre… notre chiffre se tiendra entre 245 et 250.

LE DOCTEUR : J'ai l'impression que vous abusez de ma crédulité.

KNOCK : Moi, je ne trouve pas cela énorme. N'oubliez pas que le canton comprend 2 853 foyers, et là-dessus 1 502 revenus réels qui dépassent 12 000 francs.

LE DOCTEUR : Quelle est cette histoire de revenus ?

KNOCK, *il se dirige vers le lavabo* : Vous ne pouvez tout de même pas imposer la charge d'un malade en permanence à une famille dont le revenu n'atteint pas douze mille francs. Ce serait abusif. Et pour les autres non plus, l'on ne saurait prévoir un régime uniforme. J'ai quatre échelons de traitements. Le plus modeste, pour les revenus de douze à vingt mille, ne comporte qu'une visite par semaine, et cinquante francs environ de frais pharmaceutiques par mois. Au sommet, le traitement de luxe, pour revenus supérieurs à cinquante mille francs, entraîne un minimum de quatre visites par semaine, et de trois cents francs par mois de frais divers : rayons X, radium, massages électriques, analyses, médicamentation courante, etc.

LE DOCTEUR : Mais comment connaissez-vous les revenus de vos clients ?

KNOCK, *il commence un lavage de mains minutieux :* Pas par les agents du fisc, croyez-le. Et tant mieux pour moi. Alors que je dénombre 1 502 revenus supérieurs à 12 000 francs, le contrôleur de l'impôt en compte 17. Le plus gros revenu de sa liste est de 20 000. Le plus gros de la mienne, de 120 000. Nous ne concordons jamais. Il faut réfléchir que lui travaille pour l'État.

LE DOCTEUR : Vos informations à vous, d'où viennent-elles ?

KNOCK, *souriant :* De bien des sources. C'est un très gros travail. Presque tout mon mois d'octobre y a passé. Et je révise constamment. Regardez ceci : c'est joli, n'est-ce pas ?

LE DOCTEUR : On dirait une carte du canton. Mais que signifient tous ces points rouges ?

KNOCK : C'est la carte de la pénétration médicale. Chaque point rouge indique l'emplacement d'un malade régulier. Il y a un mois vous auriez vu ici une énorme tache grise : la tache de Chabrières.

LE DOCTEUR : Plaît-il ?

KNOCK : Oui, du nom du hameau qui en formait le centre. Mon effort des dernières semaines a porté principalement là-dessus. Aujourd'hui, la tache n'a pas disparu, mais elle est morcelée. N'est-ce pas ? On la remarque à peine.

Silence.

LE DOCTEUR : Même si je voulais vous cacher mon ahurissement, mon cher confrère, je n'y parviendrais pas. Je ne puis guère douter de vos résultats : ils me sont confirmés de plusieurs côtés. Vous êtes un homme étonnant. D'autres que moi se retiendraient peut-être de vous le dire : ils le penseraient. Ou alors, ils ne seraient pas des médecins. Mais me permettez-vous de me poser une question tout haut ?

KNOCK : Je vous en prie.

LE DOCTEUR : Si je possédais votre méthode, si je l'avais bien en mains comme vous... s'il ne me restait qu'à la pratiquer...

KNOCK : Oui.

LE DOCTEUR : Est-ce que je n'éprouverais pas un scrupule ? (*Silence.*) Répondez-moi.

KNOCK : Mais c'est à vous de répondre, il me semble.

LE DOCTEUR : Remarquez que je ne tranche rien. Je soulève un point excessivement délicat.

Silence.

KNOCK : Je voudrais vous comprendre mieux.

LE DOCTEUR : Vous allez dire que je donne dans le rigorisme, que je coupe les cheveux en quatre. Mais, est-ce que, dans votre méthode, l'intérêt du malade n'est pas un peu subordonné à l'intérêt du médecin ?

KNOCK : Docteur Parpalaid, vous oubliez qu'il y a un intérêt supérieur à ces deux-là.

LE DOCTEUR : Lequel ?

KNOCK : Celui de la médecine. C'est le seul dont je me préoccupe.

Silence. Parpalaid médite.

LE DOCTEUR : Oui, oui, oui.

À partir de ce moment et jusqu'à la fin de la pièce, l'éclairage de la scène prend peu à peu les caractères

*de la Lumière Médicale qui, comme on le sait, est plus
riche en rayons verts et violets que la simple Lumière
Terrestre.*

KNOCK : Vous me donnez un canton peuplé de quelques
milliers d'individus neutres, indéterminés. Mon rôle, c'est
de les déterminer, de les amener à l'existence médicale. Je
les mets au lit, et je regarde ce qui va pouvoir en sortir :
un tuberculeux, un névropathe, un artério-scléreux, ce
qu'on voudra, mais quelqu'un, bon Dieu ! quelqu'un !
Rien ne m'agace comme cet être ni chair ni poisson que
vous appelez un homme bien portant.

LE DOCTEUR : Vous ne pouvez cependant pas mettre
tout un canton au lit !

KNOCK, *tandis qu'il s'essuie les mains :* Cela se discu-
terait. Car j'ai connu, moi, cinq personnes de la même
famille, malades toutes à la fois, au lit toutes à la fois,
et qui se débrouillaient fort bien. Votre objection me fait
penser à ces fameux économistes qui prétendaient qu'une
grande guerre moderne ne pourrait pas durer plus de six
semaines. La vérité, c'est que nous manquons tous d'audace, que personne, pas même moi, n'osera aller jusqu'au
bout et mettre toute une population au lit, pour voir, pour
voir ! Mais soit ! je vous accorderai qu'il faut des gens
bien portants, ne serait-ce que pour soigner les autres, ou
former, à l'arrière des malades en activité, une espèce de
réserve. Ce que je n'aime pas, c'est que la santé prenne
des airs de provocation, car alors vous avouerez que c'est
excessif. Nous fermons les yeux sur un certain nombre
de cas, nous laissons à un certain nombre de gens leur
masque de prospérité. Mais s'ils viennent ensuite se pava-
ner devant nous et nous faire la nique, je me fâche. C'est
arrivé ici pour M. Raffalens.

LE DOCTEUR : Ah ! le colosse ? Celui qui se vante de
porter sa belle-mère à bras tendu ?

KNOCK : Oui. Il m'a défié près de trois mois... Mais
ça y est.

LE DOCTEUR : Quoi ?

KNOCK : Il est au lit. Ses vantardises commençaient à affaiblir l'esprit médical de la population.

LE DOCTEUR : Il subsiste pourtant une sérieuse difficulté.

KNOCK : Laquelle ?

LE DOCTEUR : Vous ne pensez qu'à la médecine… Mais le reste ? Ne craignez-vous pas qu'en généralisant l'application de vos méthodes, on n'amène un certain ralentissement des autres activités sociales dont plusieurs sont, malgré tout, intéressantes ?

KNOCK : Ça ne me regarde pas. Moi, je fais de la médecine.

LE DOCTEUR : Il est vrai que lorsqu'il construit sa ligne de chemin de fer, l'ingénieur ne se demande pas ce qu'en pense le médecin de campagne.

KNOCK : Parbleu ! (*Il remonte vers le fond de la scène et s'approche d'une fenêtre.*) Regardez un peu ici, docteur Parpalaid. Vous connaissez la vue qu'on a de cette fenêtre. Entre deux parties de billard, jadis, vous n'avez pu manquer d'y prendre garde. Tout là-bas, le mont Aligre marque les bornes du canton. Les villages de Mesclat et de Trébures s'aperçoivent à gauche ; et si, de ce côté, les maisons de Saint-Maurice ne faisaient pas une espèce de renflement, c'est tous les hameaux de la vallée que nous aurions en enfilade. Mais vous n'avez dû saisir là que ces beautés naturelles, dont vous êtes friand. C'est un paysage rude, à peine humain, que vous contempliez. Aujourd'hui, je vous le donne tout imprégné de médecine, animé et parcouru par le feu souterrain de notre art. La première fois que je me suis planté ici, au lendemain de mon arrivée, je n'étais pas trop fier ; je sentais que ma présence ne pesait pas lourd. Ce vaste terroir se passait insolemment de moi et de mes pareils. Mais maintenant, j'ai autant d'aise à me trouver ici qu'à son clavier l'organiste des grandes orgues. Dans deux cent cinquante de ces maisons — il s'en faut que nous les voyions toutes à cause de l'éloignement et des feuillages — il y a deux cent cinquante chambres où quelqu'un confesse la médecine, deux cent cinquante lits où un corps étendu témoigne que la vie a un sens, et grâce à moi un sens médical. La nuit, c'est encore plus beau, car il y a les lumières. Et presque toutes les lumières sont à moi. Les non-malades dorment dans les ténèbres. Ils sont supprimés. Mais les malades ont gardé leur veilleuse ou leur lampe. Tout ce qui reste en marge de la médecine, la nuit m'en débarrasse, m'en dérobe l'agacement et le défi. Le canton fait place à une sorte de firmament dont je suis le créateur continuel. Et je ne vous parle pas des cloches. Songez que, pour tout ce monde, leur premier office est de rappeler mes prescriptions, qu'elles sont la voix de mes ordonnances. Songez que, dans quelques instants, il va sonner dix heures, que pour tous mes malades, dix heures, c'est la deuxième prise de température rectale, et que, dans quelques instants, deux cent cinquante thermomètres vont pénétrer à la fois...

LE DOCTEUR, *lui saisissant le bras avec émotion :* Mon cher confrère, j'ai quelque chose à vous proposer.

KNOCK : Quoi ?

LE DOCTEUR : Un homme comme vous n'est pas à sa place dans un chef-lieu de canton. Il vous faut une grande ville.

KNOCK : Je l'aurai, tôt ou tard.

LE DOCTEUR : Attention ! Vous êtes juste à l'apogée de vos forces. Dans quelques années, elles déclineront déjà. Croyez-en mon expérience.

KNOCK : Alors ?

LE DOCTEUR : Alors, vous ne devriez pas attendre.

KNOCK : Vous avez une situation à m'indiquer ?

LE DOCTEUR : La mienne. Je vous la donne. Je ne puis pas mieux vous prouver mon admiration.

KNOCK : Oui... Et vous, qu'est-ce que vous deviendriez ?

LE DOCTEUR : Moi ? Je me contenterais de nouveau de Saint-Maurice.

KNOCK : Oui.

LE DOCTEUR : Et je vais plus loin. Les quelques milliers de francs que vous me devez, je vous en fais cadeau.

KNOCK : Oui… Au fond, vous n'êtes pas si bête qu'on veut bien le dire.

LE DOCTEUR : Comment cela ?

KNOCK : Vous produisez peu, mais vous savez acheter et vendre. Ce sont les qualités du commerçant.

LE DOCTEUR : Je vous assure que…

KNOCK : Vous êtes même, en l'espèce, assez bon psychologue. Vous devinez que je ne tiens plus à l'argent dès l'instant que j'en gagne beaucoup ; et que la pénétration médicale d'un ou deux quartiers de Lyon m'aurait vite fait oublier mes graphiques de Saint-Maurice. Oh ! je n'ai pas l'intention de vieillir ici. Mais de là à me jeter sur la première occasion venue !

Le médecin homme d'affaires

La scène s'ouvre sur une présentation par Knock, en chiffres et en courbes, des résultats de ses trois mois d'exercice dans le canton de Saint-Maurice. À l'aide de graphiques, Knock compare la situation médicale précédant son arrivée à la situation actuelle, et démontre à Parpalaid qu'il a su recréer et fidéliser une clientèle de malades dans le canton. L'homme d'affaires se dévoile ainsi à travers le réseau lexical de la finance et de la comptabilité, lui qui calcule les « chiffres hebdomadaires », analyse les « courbe des consultations » ainsi que celles des traitements, mais aussi adapte en « échelons » le suivi médical, proportionnellement aux revenus de la clientèle, de l'échelon « le plus modeste, pour les revenus de douze à vingt mille », au « traitement de luxe, pour revenus supérieurs à cinquante mille francs ». Tout un commerce de la médecine est ainsi exhibé, qui va jusqu'à recenser et situer géographiquement les clients sur la « carte de la pénétration médicale », qui apparaît d'autant plus cynique qu'elle était vierge quelque temps plus tôt : « Il y a un mois, vous auriez vu ici une énorme tache grise : la tache de Chabrières. […] Aujourd'hui, la tache n'a pas disparu mais elle est morcelée. » Knock, en créant le besoin et la demande, a su rendre la médecine indispensable et créer des malades-clients là où il n'y en avait pas auparavant. Contrastant avec l'assurance de l'homme d'affaires, l'ahurissement de Parpalaid se manifeste par une série d'interrogations directes (« Quelle est cette histoire de revenus ? », « Comment connaissez-vous les revenus de vos clients ? », etc.) qui contribuent à décrédibiliser la médecine vieillissante et conventionnelle qu'il incarne.

Fanatisme et tyrannie de la science médicale

L'argent et la nécessité d'une clientèle ne sont cependant pas les motivations uniques de Knock : derrière l'homme d'affaires se cache un fanatique, qui n'hésite pas à subordonner le bien collectif et l'intérêt de tous à celui de la médecine. La folie fanatique de Knock est alors redoublée par la didascalie, qui crée l'analogie entre les Lumières de la raison du XVIIIe siècle et la médecine : « L'éclairage de la scène prend peu à peu les caractères de la Lumière Médicale, qui, comme on le sait, est plus riche en rayons verts et violets que la simple Lumière Terrestre. » L'ironie est palpable dans cette indication scénique qui veut que l'expression figurée se concrétise et s'impose au sens propre, et qui ne doute pas que chacun saura se figurer précisément la différence de clarté entre lumière habituelle et « Lumière Médicale ». On imagine ainsi la scène, lieu du spectacle, se teinter d'une lueur aussi inquiétante qu'artificielle, et redoubler ainsi par la mise en scène la satire établie par le texte.

La science se fait par ailleurs instrument de pouvoir : Knock règne en tyran tout-puissant, capable de « mettre tout un canton au lit », de transformer les bien portants en malades, et qui punit d'alitement les outrages et « airs de provocation » de la bonne santé : « Il m'a défié près de trois mois… Mais ça y est. […] Il est au lit. » L'absolutisme du médecin est notamment marqué textuellement par le double emploi d'un pluriel de majesté, le « Nous ». Le détournement du discours scientifique sert donc la mégalomanie d'un seul, et assoit son emprise psychologique sur tous.

Le trompeur trompé

Enfin, c'est la farce du trompeur trompé qui s'impose dans le troisième mouvement de la scène, ressort comique traditionnel qui voit ici Parpalaid proposer à Knock de racheter le cabinet qu'il lui avait vendu en sachant sa clientèle et ses revenus nuls, et même de lui donner à la place son cabinet lyonnais. Trompé une première fois par celui qui, homme d'affaires, a su dépasser la tromperie initiale pour en faire habilement une extraordinaire source d'enrichissement et de pouvoir, Parpalaid, pourtant médecin lui-même, le sera une seconde fois quand dans la scène suivante il s'entendra formuler un inquiétant soupçon de diagnostic par son confrère.

LA FAUSSE MORT DANS LA COMÉDIE

Lecture linéaire de l'acte III, scènes XII, XIII et XIV (p. 229-242)

Si l'on prête plus volontiers l'apanage du thème de la mort, vraie ou fausse, à la tragédie, ce motif hante pourtant également les œuvres comiques, et la fausse mort connaît le succès dès le XVIᵉ siècle dans les comédies italiennes. Par ce biais, les auteurs créent le rebondissement dramatique permettant de dénouer l'intrigue ou la situation bloquée. La fausse mort s'apparente ainsi dans la comédie à un *deus ex machina*[1] qui, aidant à la résolution du problème, conduit au dénouement heureux. Une première fausse mort marque *Le Malade imaginaire* : celle de Louison, dans la scène VIII de l'acte II, qui singe brièvement le coma afin d'échapper à la punition de son père. Ce motif se reproduit dans les scènes XII, XIII et XIV du dernier acte. Sur les conseils de Toinette, Argan endosse le rôle du faux mort, ce qui permet alors à chacun de dévoiler la nature de ses sentiments et de ses intentions : l'imposture de la fausse mort fait paradoxalement surgir la vérité des cœurs.

Béline démasquée

Le début de la scène XII est construit selon le principe de l'ironie dramatique. Béline ignore ce que sait le spectateur, à savoir que Toinette n'est pas plus son alliée qu'Argan n'est mort, et que son beau-frère Béralde assiste, caché, à la scène. L'attente d'Argan, qui croit

---

1. Au théâtre, il s'agit du personnage ou de l'évènement inattendu, souvent peu vraisemblable, qui permet de débloquer une situation *a priori* inextricable et qui facilite le dénouement.

encore sincèrement en l'amour de sa femme et espère une réaction de désespoir de sa part, est rapidement déçue. Par le biais d'un comique de répétition, qui fait reprendre par Béline l'annonce de Toinette (« Votre mari est mort. / Mon mari est mort ? ») puis par Toinette la demande de confirmation de Béline (« Assurément ? / Assurément »), cette dernière tombe rapidement le masque, et l'enchaînement rapide de répliques courtes (stichomythie) laisse place au cri de soulagement : « Le ciel en soit loué ! » Un ralentissement de la parole s'opère alors, occasion d'un sévère réquisitoire de la fausse veuve envers le faux défunt qui s'entend ainsi décrire comme un homme chez qui le répugnant (« malpropre », « dégoûtant ») s'associait au désagréable (« ennuyeux », « incommode à tout le monde », « mauvaise humeur », « fatiguant sans cesse »), caractéristiques réunies par des participes présents à valeur adjectivale, rappels des symptômes nombreux du faux malade : « mouchant, toussant, crachant toujours ». Béline dévoile alors à Toinette son plan pour s'approprier les biens de son mari, juste rémunération selon elle de ses années de mariage : « Il y a des papiers, il y a de l'argent, dont je me veux saisir, et il n'est pas juste que j'aie passé sans fruit auprès de lui mes plus belles années. » C'est ici qu'Argan ressuscite brusquement et tombe à son tour le masque du faux mort, guéri de son obsession et de sa naïveté envers sa femme : « Voilà un avis au lecteur qui me rendra sage à l'avenir, et qui m'empêchera de faire bien des choses. »

Angélique réhabilitée

La scène XIII (p. 233) commence sur le même modèle que la précédente, qui fait s'écrier Toinette et s'appuie sur un identique jeu de répétition de l'annonce de la mort d'Argan (« Votre père est mort. / Mon père est mort, Toinette ? »). Un tel parallélisme de construction entre les deux scènes renforce le contraste entre la réaction de la fausse veuve et celle de la fausse orpheline ; à la louange de la première, « Le ciel en soit loué ! », répond l'adresse au ciel désespérée de la seconde : « Ô ciel ! quelle infortune ! » La jeune fille se répand alors, au cours d'une longue lamentation, en superlatifs témoignant de sa douleur et de la considération portée à son père, dont la disparition est pour elle « une si grande perte », celle de « tout ce que dans [sa] vie [elle] pouvait perdre de plus cher et de plus précieux ». Quand le souci de Béline était de s'approprier au plus vite les biens de son époux, celui d'Angélique est de satisfaire aux désirs qui étaient ceux de son père, fût-ce au prix du sacrifice de son propre bonheur : « Laissons là toutes les pensées du mariage. [...] Oui, mon père, si j'ai résisté tantôt à vos volontés, je veux suivre du moins une de vos intentions et réparer par là le chagrin que je m'accuse de vous avoir donné. » Cet aveu d'amour filial est récompensé par la seconde résurrection d'Argan, ainsi que par l'autorisation paternelle du mariage avec le jeune homme aimé. Ces trois scènes opèrent ainsi une triple libération : libération de l'emprise de sa femme et de sa peur de la mort — par l'effet cathartique du jeu — pour Argan, et libération d'un mariage non consenti avec un homme non désiré pour Angélique.

Prolongement culturel :
« Le roi se meurt » d'Eugène Ionesco (1962)

Cette pièce en un acte de Ionesco met en scène la mort lente — mais bien réelle cette fois — du roi Bérenger Ier, qui nie pourtant son propre état, lui qui n'a pas encore décidé de mourir. Malade, son état est à l'image de celui de l'ensemble du royaume et du monde, qui se dégradent tous progressivement. Symbole de cette dégradation générale, le décor disparaît progressivement, jusqu'à s'effacer totalement, indiquant que le roi est mort.

AUTOUR DU DÉNOUEMENT

L'intronisation d'Argan

Dans *Le Malade imaginaire*, Molière suit l'un des schémas traditionnels de la comédie, où l'intrigue se dénoue et s'achève généralement sur le mariage — ou l'autorisation du mariage — de la jeune fille avec le prétendant aimé, auquel s'était jusqu'alors opposé un père aveuglé par ses propres manies et obsessions. Ici, un motif supplémentaire est introduit : c'est après avoir obtenu la preuve de l'affection d'Angélique, et après avoir posé comme condition à son mariage avec Cléante que ce dernier se fasse médecin, qu'Argan décide finalement, sur les conseils de Béralde et de Toinette, de se faire plutôt lui-même médecin.

Ces deux derniers multiplient les arguments : la santé d'Argan n'en sera que meilleure, puisqu'il aura « la commodité [...] d'avoir en [lui] tout ce qu'il [lui] faut » pour se soigner — la maladie n'aura d'ailleurs pas la témérité de s'en prendre à un médecin ; les études lui seront inutiles compte tenu de ce qu'il sait déjà ; surtout, c'est l'habit et le bonnet qui, plus que l'homme, font le médecin, et lui donnent sa science : « L'on n'a qu'à parler ; avec une robe et un bonnet, tout galimatias devient savant, et toute sottise devient raison. » Argan est ainsi ordonné au cours du troisième intermède, « cérémonie burlesque d'un homme qu'on fait médecin » et parodie directe de la faculté de médecine. La cérémonie, en chant et en danse, doit sa force comique à l'usage d'un latin macaronique, procédé burlesque familier au théâtre italien, d'autant plus drôle et satirique ici qu'il parodie en le suivant d'assez près le schéma des véritables cérémonies d'investiture : à la formule de bienvenue succède un éloge de la médecine et de la Faculté, puis un rappel du but de la cérémonie et des devoirs et prérogatives des médecins : « *Clysterium donare, / Postea seignare, / Ensuita purgare, / Reseignare, repurgare et reclysterisare.* »

Le triomphe de la fête et de la danse

Fête et danse referment donc la pièce, de la même manière qu'ils la précédaient avec l'églogue[1]. L'opéra et le ballet, rivaux de la comédie, s'imposent donc au cœur de celle-ci pour la soutenir, et derrière un dernier trait satirique adressé à la médecine, qui voit ses docteurs réduits à la danse bouffonne, c'est le triomphe des bons et de l'amour ainsi que le dénouement heureux de la pièce qui sont célébrés.

Fonction de Toinette dans la comédie

Toinette est le type même de la servante frondeuse et railleuse, inspirée des *zanni* facétieux de la *commedia dell'arte*, mais loyale et de bon sens, qui prend une large part au dénouement de l'intrigue et à la résolution du problème. C'est elle qui ici vient au secours du couple d'amoureux, en soutenant la révolte d'Angélique et en élaborant la ruse de la fausse mort d'Argan qui permet de démasquer l'hypocrite Béline. C'est au personnage de Toinette que la pièce doit principalement son dénouement heureux, sans l'habileté de qui Angélique n'aurait pas plus échappé au mariage avec Diafoirus qu'Argan ne se serait libéré de sa dépendance envers sa femme. La

1. L'églogue désigne un poème pastoral ou champêtre. Ici, il est chanté dans le prologue, qui fait intervenir bergers et autres divinités de la nature.

servante se fait par ailleurs la voix de Molière dans la pièce, en commentant avec ironie et en raillant le ridicule de chacun, en particulier celui des médecins dont elle perce immédiatement à jour l'imposture. Une part importante de la force comique de la pièce repose sur ce personnage, et sur le duo formé avec Argan, fait de chamailleries nombreuses mais sans réelle méchanceté, où à l'exaspération du maître répondent les moqueries enjouées de la servante, et les rires du public.

METTRE EN SCÈNE *LE MALADE IMAGINAIRE*

La comédie de Molière est restée célèbre dans l'histoire du théâtre car elle est associée à la mort du dramaturge. En effet, après la quatrième représentation, Molière, déjà malade, agonise et meurt. Dès lors, ce dernier spectacle, dernière mise en scène de Molière lui-même, occupe une place singulière dans l'imaginaire théâtral occidental. Est ainsi souvent véhiculée la légende selon laquelle Molière serait « mort en scène », ce qui ne correspond pas à la vérité historique[1]. Cette disparition a toutefois des incidences sur le texte lui-même. Molière a en effet laissé *Le Malade imaginaire* inachevé, et ce n'est qu'une dizaine d'années plus tard qu'un des comédiens de sa troupe, La Grange, achève la comédie telle que nous pouvons la lire dans cette édition (voir p. 310-312).

Depuis sa création en 1673, *Le Malade imaginaire* n'a cessé d'intéresser les metteurs en scène, qui en ont offert des interprétations très diverses. Parmi les mises en scène les plus récentes, celle de Claude Stratz à la Comédie-Française (créée en 2001, reprise en 2019) permet de mettre en perspective la question du spectacle comique.

Un spectacle : une architecture

Le metteur en scène se fonde sur l'idée qu'un spectacle est une architecture à l'intérieur de laquelle les comédiens peuvent constamment évoluer. Le choix esthétique de Stratz est celui d'une épure qui, comme le rappelle Éric

---

1. Il s'est en réalité évanoui sur scène et a tenté de dissimuler son malaise. Transporté chez lui, il meurt quelques heures plus tard.

Ruf, suit la ligne plutôt dramatique d'une pièce hantée par la peur de la mort :

> L'épure initiale de Claude [Stratz] était forte et tragique, son spectacle crépusculaire et dense — les fraises des médecins, les clystères (notre considération à leur égard s'est d'ailleurs transformée en craintive vénération) mais avant tout le désir obsédant de contrefaire la mort, de faire le mort, d'entendre *post mortem* ce qu'on pense de nous, de pouvoir séparer le grain de l'ivraie. Vieux fantasme taraudant mais toujours vivace.

Le spectacle de la comédie repose entre autres sur le spectacle de la mort inscrite dans la comédie et sur laquelle insiste le metteur en scène. Les décors sont eux-mêmes épurés : le fauteuil de malade d'Argan est un des éléments marquants de la scénographie. « La dernière pièce de Molière commence dans les teintes d'une journée finissante. C'est une comédie crépusculaire », déclare Claude Stratz. Les éclairages et les éléments de décor corroborent cette vision plutôt dramatique de la comédie[1].

Visuellement, les costumes sont stylisés : Argan porte une longue camisole avec un pardessus vert et un bonnet de tissu noué, d'inspiration contemporaine. Les domestiques ont revêtu des vêtements simples, notamment Toinette. Les médecins ont les vêtements qu'on imagine être ceux de l'époque : robes noires, longues fraises, clystères impressionnants. Ils sont comme des fantômes inquiétants qui rôdent, colorant la comédie d'une teinte mortifère.

---

1. Toutes les citations sont tirées du programme « en ligne » de la Comédie-Française : https://www.comedie-francaise.fr/fr/evenements/le-malade-imaginaire-19-20.

Argan, un rôle marquant

Certains acteurs ont marqué l'histoire de la pièce par leur interprétation d'Argan. C'est en particulier le cas de Jean Le Poulain (mise en scène de Jean-Laurent Cochet, Comédie-Française, 1981) et de Michel Bouquet, qui a interprété le rôle à plusieurs reprises dans sa carrière (notamment dans la mise en scène de Georges Werler au théâtre de la Porte-Saint-Martin en 2009). Dans la dernière reprise de la mise en scène de Claude Stratz, c'est Guillaume Gallienne qui campe Argan. L'acteur s'est illustré dans des registres très différents, en jouant le rôle travesti de Lucrèce Borgia, mais en occupant aussi des emplois comiques et tragiques. Dans le rôle d'Argan, il joue sur les deux registres, tout en accentuant certains traits du personnage : angoisse viscérale d'être seul, exigences et manies, domination de la médecine. Gallienne campe un malade imaginaire hanté par ses peurs et par l'obsession de la mort.

CONCLUSION ET PERSPECTIVES

Spectacle et comédie :
entre rivalité et complicité

Entre rivalité, analogie et complicité : tels semblent
les rapports entre comédie et spectacle, ou plutôt les
relations qu'entretiennent entre eux les spectacles, sous
les diverses formes qu'ils peuvent recouvrir. Ainsi comédie et opéra peuvent-ils être en conflit dès lors qu'ils se
placent du côté du questionnement esthétique et qu'ils
concourent chacun à obtenir pour soi la suprématie, ou
la faveur royale. La rivalité entre Molière et Lully est
à l'image de ce conflit, qui trouve paradoxalement son
propre contre-pied dans la collaboration des deux artistes
malgré leur rivalité.

Née de cette collaboration, la comédie-ballet en est
aussi la meilleure illustration, et atteint son apothéose
avec *Le Bourgeois gentilhomme*, œuvre la plus célèbre réa-
lisée par le duo. Avec la comédie-ballet, le spectacle se
construit entre hybridité et mise en abyme : hybridité d'un
genre qui mêle à la création littéraire et au jeu théâtral
danse, musique et chant ; mise en abyme du spectacle, à
travers l'insertion de la danse et du chant dans le jeu, des
arts vivants dans la comédie-cadre.

Ces rapports faits de points de tension et de complicité
mêlés peuvent être exprimés implicitement au sein d'une
même œuvre : *Le Malade imaginaire* révèle au premier
plan une satire de la médecine que comédie, ballet et opéra
mettent en images. En la matière, le premier intermède de
la pièce est un bon exemple de raillerie, qui voit un Polichinelle chanteur de sérénade affronter les violons et les
archers qui interrompent son chant, dans un mélange far-

cesque de plaintes offensées (« Qui diable est-ce là ? Est-ce que c'est la mode de parler en musique ? »), de comique de répétition (« Qui va là ? qui va là ? qui va là ? / Moi, moi, moi. / Qui va là ? qui va là ? vous dis-je. / Moi, moi, vous dis-je. »), de chahuts et de coups.

Spectacle et comédie au service de l'enjeu politique

« Unissons-nous… Unissons-nous », scandent ensemble La Comédie, La Musique et Le Ballet dans le prologue de *L'Amour médecin*. Car s'il est une raison pour laquelle ces arts acceptent alors de sacrifier la suprématie de leur seul prestige au bénéfice de la collaboration, c'est bien celle de « donner du plaisir au plus grand roi du monde ». Mais Louis XIV, qui voit au-delà du plaisir seul, use de ces arts comme d'un outil stratégique mis au service de sa politique-spectacle, assise de sa notoriété. Ici, spectacle et comédie doivent donc renoncer à leur désir de prestige individuel et travailler de concert à satisfaire et servir le pouvoir politique.

La comédie, lieu du spectacle des travers humains et sociaux

Quand la comédie se fait satire, ce qu'elle dénonce se donne en spectacle, s'expose sur la scène et au regard du public. Dans *Le Malade imaginaire*, *Knock* ou encore *L'Amour médecin*, l'imposture médicale est mise au premier plan, et, caricaturée à l'excès, exacerbée jusqu'au rire, servie par les effets de mise en scène, elle dépasse le simple travers social pour se faire spectacle à son tour, offert aux regards et aux jugements. Parfois encore, ce spectacle du vice social ou humain peut être dévoilé par le biais d'un autre spectacle, au sein même de la comédie : Argan faisant croire au spectacle de sa propre mort dans *Le Malade imaginaire* donne à voir le spectacle des réactions de son entourage, et y assiste lui-même depuis son propre rôle de faux mort.

Le Malade imaginaire exacerbe finalement tous les ressorts du comique pour dire le ridicule et l'incompétence des médecins, mais aussi la crédulité de ceux qui demandent leurs soins, jusqu'à y laisser leur santé, voire leur vie. Faire rire de ce qui fait pleurer[1], c'est l'un des objectifs que se fixe Molière, et qu'il remplit ici avec la maestria qui lui est propre, et le concours du compositeur Marc-Antoine Charpentier et du danseur Pierre Beauchamp.

---

1. Voir les vers de Musset dans « Une soirée perdue », qui à propos du théâtre de Molière commente : « [...] lorsqu'on vient d'en rire, on devrait en pleurer ! »

CHRONOLOGIE

(1622-1673)

1622. *15 janvier* : **baptême à Saint-Eustache de Jean Poquelin.** — Les parents sont tapissiers depuis plusieurs générations. — **Dans la famille, on appelle l'enfant Jean-Baptiste.**

1632. *11 mai* : la mère du petit Poquelin meurt.

1637. *14 décembre* : Poquelin père, qui a acheté en 1631 un office de tapissier et valet de chambre du roi, obtient la survivance pour son fils.

Les études de Molière : 1° Études primaires dans une école paroissiale sans doute. 2° Études secondaires chez les Jésuites du collège de Clermont (actuel lycée Louis-le-Grand). 3° Études de droit. Molière obtient ses licences à Orléans ; se fait avocat ; au bout de quelques mois il abandonne.

L'Illustre-Théâtre : Molière aurait beaucoup fréquenté le théâtre avec l'un de ses grands-pères. Tout en étant inscrit au barreau, il aurait fait partie des troupes de deux charlatans vendeurs de médicaments, Bary et l'Orviétan.

Il connaît les Béjart, des comédiens, et surtout sans doute Madeleine Béjart, très bonne comédienne. — *30 juin 1643* : contrat de société entre Beys, Pinel, Joseph Béjart, Madeleine Béjart, Geneviève

Béjart et J.-B. Poquelin. Installation de la troupe au jeu de paume des Métayers, faubourg Saint-Germain (actuellement 10-12, rue Mazarine).

1644. *28 juin* : J.-B. Poquelin signe du pseudonyme de Molière. Choix de ce pseudonyme inexpliqué. Difficultés financières ; de plus les comédiens sont l'objet d'une guerre sans merci de la part du curé réformateur de la paroisse Saint-Sulpice, Olier. La troupe, endettée, va s'installer sur la rive droite, au port Saint-Paul (actuellement quai des Célestins). Mauvaises affaires. Molière emprisonné pour dettes, deux fois pendant quelques jours.

L'expérience des tournées (treize ans) : Molière est peut-être dans la troupe de Dufresne. Son passage est attesté à Nantes, Poitiers, Toulouse, Narbonne, Pézenas, Grenoble, Lyon. *Septembre 1653*, la troupe est autorisée à prendre le titre de Troupe du prince de Conti (frère du Grand Condé). Son secteur : Languedoc, vallée du Rhône, des pointes à Bordeaux, Dijon. *Mars 1656*, Conti se convertit ; *1657*, il interdit aux comédiens de se prévaloir de son nom.

L'installation à Paris : après un passage à Rouen, la troupe débute à Paris (octobre 1658). *24 octobre* : débuts devant le roi avec *Nicomède* de Corneille et un petit divertissement de Molière : *Le Docteur amoureux*, perdu. Installation salle du Petit-Bourbon, en alternance avec les Italiens.

1658. *2 novembre* : première représentation à Paris de *L'Étourdi*, créé à Lyon en 1655.

Échec dans les pièces cornéliennes : *Héraclius, Rodogune, Cinna, Le Cid, Pompée*. — Grand succès avec *Le Dépit amoureux* (deuxième pièce de Molière, créée à Béziers en 1656).

La troupe est composée de dix acteurs : dont deux

sœurs Béjart, deux frères Béjart, du Parc et la du Parc. Troupe jeune et dynamique.

1659. *18 novembre* : *Les Précieuses ridicules* (troisième pièce de Molière). Vif succès. Molière commence à faire beaucoup parler de lui.

1660. *28 mai* : *Sganarelle ou le Cocu imaginaire* (quatrième pièce).

Octobre : période difficile. La salle du Petit-Bourbon est démolie.

1661. *20 janvier* : ouverture de la salle du Palais-Royal où Molière jouera jusqu'à sa mort.

4 février : première de *Dom Garcie de Navarre* (cinquième pièce).

24 juin : première de *L'École des maris* (sixième pièce).

17 août : première des *Fâcheux* à Vaux-le-Vicomte (septième pièce) chez Fouquet, le surintendant des Finances, trois semaines avant l'arrestation de celui-ci.

1662. *23 janvier* : contrat de mariage de Molière et d'Armande Béjart. — *20 février* : mariage.

8-14 mai : premier séjour de la troupe à la cour. C'est une consécration.

26 décembre : première de *L'École des femmes*. La querelle de *L'École des femmes* commence. Les ennuis de Molière ne cesseront plus guère de le harceler, l'attaquant jusque dans sa vie privée ; on l'accuse d'avoir épousé la fille de sa vieille maîtresse, Madeleine Béjart, qui est peut-être sa propre fille. En fait, il nous paraît certain qu'il a épousé la jeune sœur de Madeleine Béjart.

Molière répond aux attaques par la *Critique de l'École des femmes* (août 1663) et *L'Impromptu de Versailles* (octobre 1663).

1664. *29 janvier* : première du *Mariage forcé* (onzième pièce).

28 février : baptême du fils aîné de Molière. Parrain : le roi ; marraine : Madame Henriette d'Angleterre, épouse du frère du roi. L'enfant meurt à dix mois.

17 avril : l'affaire du *Tartuffe* commence : les membres de la Compagnie du Saint-Sacrement délibèrent des moyens de supprimer cette « méchante comédie ».

30 avril-22 mai : la troupe est à Versailles pour les fêtes des *Plaisirs de l'île enchantée*. Première de *La Princesse d'Élide* (douzième pièce).

12 mai : première du *Tartuffe*. Mais remontrances des dévots : le roi ne permet pas d'autres représentations publiques. Vers cette date, semble-t-il, commence à courir le bruit qu'Armande est infidèle à son mari. Bruit assez généralement accepté, mais mal contrôlable.

1665. *15 février* : première de *Dom Juan* (quatorzième pièce). Pas repris après Pâques.

4 août : baptême d'Esprit-Madeleine, fille de Molière, seul enfant qui lui ait survécu.

14 août : le roi donne à la troupe une pension de 7 000 livres, et le titre de Troupe du roi.

14 septembre : première de *L'Amour médecin* (quinzième pièce).

29 décembre 1665-5 février 1666 : relâche ; Molière, très malade, a failli mourir.

1666. *4 juin* : première du *Misanthrope* (seizième pièce).

6 août : première du *Médecin malgré lui* (dix-septième pièce). La querelle de la moralité au théâtre met en accusation Molière ; il lui est reproché (Conti, Racine, d'Aubignac) de faire retomber le théâtre à son ancienne turpitude.

1ᵉʳ décembre : la troupe part pour Versailles. Elle est employée dans le *Ballet des Muses*. Molière jouera sa dix-huitième pièce, *Mélicerte*, puis sa dix-neuvième, *Le Sicilien ou l'Amour peintre*.

1667. *16 avril* : le bruit a couru que Molière était à l'extrémité. La troupe ne recommence à jouer que le 15 mai.

5 août : représentation de *L'Imposteur*, qui n'est autre qu'un remaniement du *Tartuffe*. La pièce est immédiatement interdite par le premier président du parlement de Paris et par l'archevêque de Paris. Molière essaie vainement d'agir auprès du roi.

1668. *13 janvier* : première *d'Amphitryon* (vingtième pièce).

15 juillet : première de *George Dandin* (vingt et unième pièce).

9 septembre : première de *L'Avare* (vingt-deuxième pièce).

1669. *5 février* : *Le Tartuffe* se joue enfin librement. 44 représentations consécutives. Pour la première, recette record : 2 860 livres ; on a dû s'entasser dans tous les recoins possibles de la salle et de la scène.

4 avril : achevé d'imprimer du poème *La Gloire du Val-de-Grâce*, décrivant l'œuvre de Mignard et définissant son art.

6 octobre : première de *Monsieur de Pourceaugnac* à Chambord (vingt-troisième pièce).

1670. *4 janvier* : *Élomire hypocondre*, comédie d'un auteur non identifié, probablement de Le Boulanger de Chalussay. L'un des pamphlets les plus violents contre Molière, mais renseigné.

4 février : *Les Amants magnifiques* à Saint-Germain (vingt-quatrième pièce).

14 octobre : *Le Bourgeois gentilhomme* à Chambord (vingt-cinquième pièce).

1671. *17 janvier* : première de *Psyché*, dans la grande salle des Tuileries (vingt-sixième pièce). Molière a demandé, pour aller plus vite, leur collaboration à Quinault et à Pierre Corneille.

24 mai : première des *Fourberies de Scapin* (vingt-septième pièce).

2 décembre : première de *La Comtesse d'Escarbagnas* (vingt-huitième pièce).

1672. *17 février* : mort de Madeleine Béjart.

11 mars : première des *Femmes savantes* (vingt-neuvième pièce).

1er octobre : baptême du second fils de Molière. Il ne vivra que dix jours.

1673. *10 février* : **première du *Malade imaginaire* (trentième pièce).** — La musique des pièces de Molière avait jusqu'alors été faite par Lully (*La Princesse d'Élide, Monsieur de Pourceaugnac, Le Bourgeois gentilhomme*). Mais Lully, contrairement semble-t-il à un accord conclu avec Molière pour partager le privilège de l'opéra, obtient un véritable monopole pour les représentations comportant musique. Molière est amené à rompre avec Lully. *Le Malade imaginaire*, prévu pour être joué devant la cour, est donné au public du théâtre du Palais-Royal.

17 février : **quatrième représentation du *Malade imaginaire*.** En prononçant le *juro* de la cérémonie finale, Molière est pris de convulsions. Il cache par « un ris forcé » ce qui lui arrive. Il est transporté chez lui dans sa chaise. Il tousse, crache du sang et meurt peu après. Sa femme a vainement cherché un prêtre pour lui donner l'absolution. **Il est mort sans avoir abjuré sa qualité de comédien.** La sépulture ecclésiastique lui est refusée. Sa femme va supplier le roi, qui fait pression sur l'archevêque. Le curé de Saint-Eustache autorise enfin un enterrement

discret et de nuit au cimetière Saint-Joseph, dépen-
dant de Saint-Eustache. Il se peut que le corps ait
été transféré dans la partie réservée aux enfants
morts sans baptême.

3 mars : *Le Malade imaginaire* est repris, avec
La Thorillière dans le rôle du malade.

NOTE SUR LES PERSONNAGES,
LE DÉCOR ET LES COSTUMES
DE LA PIÈCE

Argan. Ce nom est une manière de doublet d'Orgon. Rôle créé par Molière.

Béline. Belin, en ancien français, veut dire petit bélier, mouton. Il y a dans ce nom l'idée d'un être doucereux. Mlle de Brie a dû créer le rôle.

Angélique : la femme de Molière.

Louison : Louise Beauval. Elle avait 8 ans.

Béralde. On ne sait qui tenait le rôle.

Cléante. Le nom comporte l'idée de noblesse. Nom de jeune premier. Rôle créé par La Grange.

Monsieur Diafoirus. Préfixe grec (idée de traverser) ; une désinence pédantesquement latine ; entre les deux un mot de bon français, mais rabelaisien : « foire, en termes de médecine, signifie cours de ventre » (Furetière). On ne sait qui créa le rôle.

Thomas Diafoirus était joué à la création par Beauval.

Monsieur Purgon. Le nom de M. Purgon est un programme. On ne sait qui créa le rôle.

Monsieur Fleurant. Nom réel, mais en même temps parlant : fleurer veut dire sentir, flairer, et M. Fleurant doit examiner si la matière « fleure » louablement. On ne sait qui créa le rôle.

Monsieur Bonnefoy. Il est à craindre que le nom de M. Bonnefoy ait été choisi par antiphrase.

Toinette comme servante a un prénom populaire et sans prétention : rôle tenu par Mlle Beauval.

« Théâtre est une chambre et une alcôve dans le fond. Au premier acte : une chaise, table, sonnette et une bourse avec jetons, un manteau fourré, six oreillers, un bâton. *Premier intermède*, une guitare ou luth, quatre mousquetons, quatre lanternes sourdes, quatre bâtons, une vessie. *2ᵉ acte*, il faut quatre chaises, une poignée de verges, du papier. *2ᵉ intermède* : quatre tambours de basque. *3ᵉ intermède* : il faut la chaise du Praeses [le président de la cérémonie] et les deux grands bancs, huit seringues, quatre échelles, quatre marteaux, quatre mortiers, quatre pilons, six tabourets. Les robes rouges fourrées. — Il faut changer le théâtre au 1ᵉʳ intermède et représenter une ville ou des rues ; et la chambre paraît comme on a commencé. Il faut trois pièces de tapisserie de haute lice, et des perches et cordes [pour les tendre ?] » *(Mémoire* du décorateur Mahelot).

Le costume du successeur de Molière dans le rôle, qui ne doit pas être très différent de celui de Molière, comporte : une chemisette de velours amarante, doublée de ratine grise ; chausses en panne (soie), avec des boutons d'or ; bandes de petit-gris (fourrure) pour la chemisette et le bonnet ; des bas de soie extrafins. C'est donc le costume d'un malade qui reste soucieux d'élégance.

LES PREMIÈRES ÉDITIONS

Le problème des premières éditions de la pièce complète est plus complexe que celui de l'édition du *Livret*. Il n'est pas question de le reprendre ici en détail, nous nous bornerons donc à exposer rapidement ce qui nous paraît probable, en renvoyant pour complément d'information aux bibliographes.

Il n'était pas de l'intérêt de la troupe que *Le Malade imaginaire* fût trop vite imprimé : car alors il tombait dans le domaine public et toute troupe pouvait le reprendre. Des tentatives de reprise avaient déjà eu lieu. Aussi, le 7 janvier 1674, les comédiens de l'Hôtel Guénégaud obtenaient-ils que défense fût signifiée à tous autres comédiens de jouer *Le Malade imaginaire* avant qu'il eût été rendu public par l'impression.

Il était de l'intérêt des libraires de publier une pièce qui attirait l'attention : à preuve le nombre des contrefaçons du *Livret*, par lequel les amateurs de théâtre pouvaient se consoler de ne pas connaître le texte même. En 1674, donc, commencent à paraître des éditions du *Malade imaginaire*, éditions sans achevés d'imprimer ; la chronologie est ainsi difficile à établir.

Un *Malade imaginaire* paraît d'abord avec l'indication « Amsterdam, Daniel Elzevir [*sic*] », à la date de 1674.

Œuvre proprement effarante. La liste des personnages déjà inquiète : le nom d'Argan est remplacé par Orgon, Béralde est devenu Oronte, Cléante s'appelle Léandre, Purgon, Turbon ; Béline, Marianne ; et Toinette, Cato. Le texte même présente les plus extraordinaires libertés ; des tirades ont manifestement été faites de chic et n'entretiennent pas le moindre rapport avec aucun état présent ni passé du *Malade imaginaire*. Orgon expose son régime : « À déjeuner, après mon bouillon et une couple d'œufs frais, je me contente d'un reste de chapon en capilotade. À dîner, j'ai toujours une bonne soupe de santé avec un jarret de veau ou une poule qui me sert de fondement, puis je mange d'une tourte ou de pigeonneaux ou de ris de veau, après quoi je m'attache au rôt [rôti], d'une perdrix ou d'un poulet », etc. Et Cato, qui se présente comme un médecin allemand, conseille une bonne diète de quatre ou cinq jours sans boire ni manger.

On voit ce qui s'est passé, pour peu qu'on connaisse les mœurs de la librairie au XVIIe siècle : quelque pauvre diable de folliculaire ou de « nouvelliste à la main » n'avait sans doute même pas vu la pièce ; on la lui avait racontée : il l'a reconstituée vaille que vaille. Il s'était acoquiné avec quelque imprimeur. On met au titre le nom prestigieux d'Elzevir, et voilà qui peut passer, pour des curieux point trop exigeants, pour *Le Malade imaginaire*. Il paraît même que cette édition aurait eu plusieurs tirages.

Après cette édition, qui était très exactement une escroquerie et un attrape-nigaud, paraissent des éditions plus sérieuses.

L'édition Jean Sambix (1674), à Cologne, lance d'abord une pointe contre la troupe de Molière qui empêche l'impression du *Malade imaginaire* ; puis une attaque très vive et très justifiée contre l'impression d'« Amsterdam chez Daniel Elzevir », dont nous venons de parler. Ensuite

est expliqué comment cette édition Sambix a été faite :
elle résulte de l'« effort de la mémoire d'une personne
qui en a vu plusieurs représentations, elle n'en est pas
moins correcte, et les scènes en ont été transcrites avec
tant d'exactitude et le jeu observé si régulièrement où il
est nécessaire, que l'on ne trouvera pas un mot omis ni
transposé ». Entendons que l'éditeur avait envoyé quelque
sténographe prendre copie du texte : c'était encore une
piraterie à l'égard de la troupe et des héritiers de Molière ;
ce n'était plus un attrape-nigaud pour le public. D'autre
part, les prologues et intermèdes étaient donnés d'après
des livrets.

Une édition du théâtre de Molière était alors en cours :
chez Thierry et Barbin, deux éditeurs parisiens sérieux,
avec un privilège en bonne et due forme. Ils ne pouvaient
pas laisser leur édition se dévaluer en restant incomplète,
alors qu'était publié un *Malade imaginaire*. Il leur fallait
nécessairement l'imprimer aussi. Un septième volume de
cette édition collective, entreprise en 1674, donna donc
Le Malade imaginaire, et pour que le volume atteignît
une taille suffisante, on mit en tête une pièce de Brécourt, *L'Ombre de Molière*, qui avait été jouée à l'Hôtel
de Bourgogne en mars 1674. Thierry et Barbin avaient
repris le texte de Jean Sambix en corrigeant les fautes
typographiques. Telle est l'impression que nous appelle-
rions volontiers semi-officielle puisqu'elle est faite par des
éditeurs autorisés, au moins tacitement, par la veuve de
Molière et avec un privilège[1].

En 1682 enfin, La Grange donne son édition de
Molière. *Le Malade imaginaire* figure dans le tome II des
Œuvres posthumes qui est le tome VIII des *Œuvres*. Les
éditeurs Thierry et Barbin se sont adjoint Trabouillet.

---

1. Privilège : 12 avril ; achevé d'imprimer : 2 mai 1674. Le volume
est daté, au titre, de 1675.

Le lecteur est, à plusieurs reprises, averti que le texte de
Molière lui est donné « corrigé sur l'original de l'auteur
de toutes les fausses additions et suppositions de scènes
entières faites dans les éditions précédentes ». Mise en
garde assez piquante, si l'on songe que Thierry et Barbin étaient déjà les éditeurs du *Malade imaginaire* de
1675. Sont donc imprimés pour la première fois le texte
authentique des scènes VII et VIII du premier acte ; le
texte authentique de tout l'acte III ; et l'avertissement
est chaque fois renouvelé : « Cette scène entière [*ou* cet
acte entier] n'est point dans les éditions précédentes de
la prose de M. de Molière, la voici, rétablie sur l'original
de l'auteur. »

Mais cette histoire appelle des réflexions. Si La Grange
a précisé que les scènes VII et VIII de l'acte I, et l'acte III
tout entier, n'étaient pas de Molière, cela laisse entendre
que le reste était de Molière. De fait, les différences
entre 1675 et 1682 sont infimes pour les scènes I à VI de
l'acte I, et pour l'acte II. D'autre part, si Thierry et Barbin
avaient, en 1675, repris le texte de Jean Sambix, c'est bien
qu'ils ne le considéraient pas comme une pure contrefa-
çon. Notons enfin que la veuve de Molière n'avait pas, à
notre connaissance, protesté en 1675 contre ce texte. Nous
sommes donc amenés à traiter avec quelque considération
le texte publié par Jean Sambix en 1674, texte repris en
1675 par Thierry et Barbin, et à nous demander d'où
viennent les scènes et cet acte dont La Grange dit qu'ils
ne sont pas de la prose de M. de Molière.

Il serait beaucoup trop long de confronter dans le détail
1675 et 1682. Lorsqu'on les lit tous deux avec attention,
on s'aperçoit que 1682 complète, nuance, transpose, mais
que 1675 contient déjà tout l'essentiel. Nous croirions
donc que 1675 représente un état antérieur du texte,
encore proche du canevas initial. Resterait à expliquer
pourquoi l'éditeur a renoncé à la méthode qui lui avait

réussi pour l'ensemble de la pièce, et qui consistait à sténographier le texte à une représentation. Comment aussi il s'était procuré le texte des scènes VII et VIII de l'acte I et de l'acte III. On ne peut faire que des hypothèses.

Mais pour nous éditeur, actuellement, le problème est simple : un texte du *Malade imaginaire* bénéficie de la caution de La Grange ; c'est celui que nous reproduisons comme tous les éditeurs avant nous. Pour une partie du texte nous avons, croyons-nous, grâce aux éditions de 1674 et 1675, aussi un état antérieur qui peut remonter à des brouillons de Molière, et représenter un texte abandonné par lui. Nous ne pouvons pas le négliger du Molière possible — je dirai même probable — qui permet peut-être de surprendre le travail d'élaboration auquel il se livrait ; nous donnons donc ce texte dans le Dossier. Pour le premier Prologue et les Intermèdes nous donnons le texte de 1673. À la suite du premier Prologue, nous donnons le Prologue de 1674 (Autre Prologue).

VARIANTES DE L'ÉDITION
DE 1675

Nous ne reproduisons que les scènes VII et VIII de l'acte I et l'acte III en entier. Le reste du texte étant, à quelques minimes variantes près, le même que dans l'édition de 1682 (voir la note sur les premières éditions, p. 308-312).

ACTE PREMIER

SCÈNE VII

MONSIEUR BONNEFOY, BÉLINE, ARGAN

ARGAN : Ah ! bonjour, Monsieur Bonnefoy. Je veux faire mon testament ; et pour cela dites-moi, s'il vous plaît, comment je dois faire pour donner tout mon bien à ma femme, et en frustrer mes enfants.

MONSIEUR BONNEFOY : Monsieur, vous ne pouvez rien donner à votre femme par votre testament.

ARGAN : Et par quelle raison ?

MONSIEUR BONNEFOY : Parce que la Coutume y résiste : cela serait bon partout ailleurs et dans le pays de

droit écrit ; mais à Paris et dans les pays coutumiers, cela
ne se peut : tout avantage qu'homme et femme se peuvent
faire réciproquement l'un à l'autre en faveur de mariage,
n'est qu'un avantage indirect, et qu'un don mutuel entre
vifs ; encore faut-il qu'il n'y ait point d'enfants d'eux ou
de l'un d'iceux avant le décès du premier mourant.

ARGAN : Voilà une Coutume bien impertinente, de dire
qu'un mari ne puisse rien donner à une femme qui l'aime,
et qui prend tant soin de lui. J'ai envie de consulter mon
avocat, pour voir ce qu'il y a à faire pour cela.

MONSIEUR BONNEFOY : Ce n'est pas aux avocats à qui
il faut s'adresser : ce sont gens fort scrupuleux sur cette
matière, qui ne savent pas disposer en fraude de la loi, et
qui sont ignorants des tours de la conscience ; c'est notre
affaire à nous autres, et je suis venu à bout de bien plus
grandes difficultés. Il vous faut pour cela, auparavant
que de mourir, donner à votre femme tout votre argent
comptant, et des billets payables au porteur, si vous en
avez ; il vous faut, outre ce, contracter quantité de bonnes
obligations sous main avec de vos intimes amis, qui, après
votre mort, les remettront entre les mains de votre femme
sans lui rien demander, qui prendra ensuite le soin de s'en
faire payer.

ARGAN : Vraiment, Monsieur, ma femme m'avait bien
dit que vous étiez un fort habile et fort honnête homme.
J'ai, mon cœur, vingt mille francs dans le petit coffret de
mon alcôve, en argent comptant, dont je vous donnerai la
clef, et deux billets payables au porteur, l'un de six mille
livres, et l'autre de quatre, qui me sont dues, le premier
par Monsieur Damon, et l'autre par Monsieur Gérante,
que je vous mettrai entre les mains.

BÉLINE, *feignant de pleurer* : Ne me parlez point de cela,
je vous prie, vous me faites mourir de frayeur… *(Elle se
ravise et lui dit :)* Combien dites-vous qu'il y a d'argent
comptant dans votre alcôve ?

ARGAN : Vingt mille francs, mon cœur.

BÉLINE : Tous les biens de ce monde ne me sont rien en comparaison de vous... De combien sont les deux billets ?

ARGAN : L'un de six, et l'autre de quatre mille livres.

BÉLINE : Ah ! mon fils, la seule pensée de vous quitter me met au désespoir ; vous mort, je ne veux plus rester au monde : ah, ah !

MONSIEUR BONNEFOY : Pourquoi pleurer, Madame ? Les larmes sont hors de saison, et les choses, grâces à Dieu, n'en sont pas encore là.

BÉLINE : Ah ! Monsieur Bonnefoy, vous ne savez pas ce que c'est qu'être toujours séparée d'un mari que l'on aime tendrement.

ARGAN : Ce qui me fâche le plus, mamie, auparavant de mourir, c'est de n'avoir point eu d'enfants de vous ; Monsieur Purgon m'avait promis qu'il m'en ferait faire un.

MONSIEUR BONNEFOY : Voulez-vous que nous procédions au testament ?

ARGAN : Oui, mais nous serons mieux dans mon petit cabinet qui est ici près ; allons-y, Monsieur : soutenez-moi, mamour.

BÉLINE : Allons, pauvre petit mari.

SCÈNE VIII

TOINETTE, ANGÉLIQUE

TOINETTE : Entrez, entrez : ils ne sont plus ici. J'ai une inquiétude prodigieuse : j'ai vu un notaire avec eux, et ai entendu parler de testament ; votre belle-mère ne s'endort point, et veut sans doute profiter de la colère où vous avez tantôt mis votre père ; elle aura pris ce temps pour nuire à vos intérêts.

ANGÉLIQUE : Qu'il dispose de tout mon bien en faveur de qui il lui plaira, pourvu qu'il ne dispose pas de mon cœur ; qu'il ne me contraigne point d'accepter pour époux celui dont il m'a parlé, je me soucie fort peu du reste, qu'il en fasse ce qu'il voudra.

TOINETTE : Votre belle-mère tâche par toutes sortes de promesses de m'attirer dans son parti ; mais elle a beau faire, elle n'y réussira jamais, et je me suis toujours trouvé de l'inclination à vous rendre service ; cependant comme il nous est nécessaire dans la conjoncture présente de savoir ce qui se passe, afin de mieux prendre nos mesures, et de mieux venir à bout de notre dessein, j'ai envie de lui faire croire par de feintes complaisances que je suis entièrement dans ses intérêts. L'envie qu'elle a que j'y sois ne manquera pas de la faire donner dans le panneau ; c'est un sûr moyen pour découvrir ses intrigues, et cela nous servira de beaucoup.

ANGÉLIQUE : Mais comment faire pour rompre ce coup terrible dont je suis menacée ?

TOINETTE : Il faut, en premier lieu, avertir Cléante du dessein de votre père, et le charger de s'acquitter au plus tôt de la parole qu'il vous a donnée ; il n'y a point de temps à perdre, il faut qu'il se détermine.

ANGÉLIQUE : As-tu quelqu'un propre à faire ce message ?

TOINETTE : Il est assez difficile, et je ne trouve personne plus propre à s'en acquitter que le vieux usurier Polichinelle, mon amant ; il m'en coûtera pour cela quelques faveurs, et quelques baisers, que je veux bien dépenser pour vous : allez, reposez-vous sur moi, dormez seulement en repos. Il est tard, je crains qu'on n'ait affaire de moi ; j'entends qu'on m'appelle : retirez-vous ; adieu, bonsoir : je vais songer à vous.

ACTE III

SCÈNE PREMIÈRE

BÉRALDE, ARGAN, TOINETTE

BÉRALDE : Hé bien ! mon frère, que dites-vous du plaisir que vous venez d'avoir ? cela ne vaut-il pas bien une prise de casse ?

TOINETTE : De bonne casse est bonne.

BÉRALDE : Puisque vous êtes mieux, mon frère, vous voulez bien que je vous entretienne un peu de l'affaire de tantôt.

ARGAN *court au bassin* : Un peu de patience, mon frère, je reviens dans un moment.

TOINETTE : Monsieur, vous oubliez votre bâton : vous ne songez pas que vous ne sauriez marcher sans lui.

ARGAN : Tu as raison, donne vite.

SCÈNE II

BÉRALDE, TOINETTE

TOINETTE : Eh ! Monsieur, n'avez-vous point de pitié pour votre nièce, et la laisserez-vous sacrifier au caprice de son père, qui veut absolument qu'elle épouse ce qu'elle hait le plus au monde.

BÉRALDE : Dans le vrai, la nouvelle de ce bizarre mariage m'a fort surpris : je veux tout mettre en usage pour rompre ce coup, et je porterai même les choses à la dernière extrémité, plutôt que de le souffrir. Je lui ai déjà parlé en faveur de Cléante ; j'ai été très mal reçu ; mais afin de faire réussir leurs feux, il faut commencer par le dégoûter de l'autre, et c'est ce qui m'embarrasse fort.

TOINETTE : Il est vrai que difficilement le fait-on changer de sentiment. Écoutez pourtant, je songe à quelque chose qui pourrait bien nous réussir.

BÉRALDE : Que prétends-tu faire ?

TOINETTE : C'est un dessein assez burlesque, et une imagination fort plaisante qui me vient dans l'esprit pour duper notre homme : je songe qu'il faudrait faire venir ici un médecin à notre poste, qui eût une méthode toute contraire à celle de Monsieur Purgon, qui le décriât, et le fît passer pour un ignorant, qui lui offrît ses services, et lui promît de prendre soin de lui en sa place. Peut-être serons-nous plus heureux que sages : éprouvons ceci à tout hasard ; mais comme je ne vois personne propre à bien faire le médecin, j'ai envie de jouer un tour de ma tête.

BÉRALDE : Quel est-il ?

TOINETTE : Vous verrez ce que c'est : j'entends votre frère, secondez-moi bien seulement.

SCÈNE III

ARGAN, BÉRALDE

BÉRALDE : Je veux, mon frère, vous faire une prière avant que vous parler d'affaires.

ARGAN : Quelle est-elle cette prière ?

BÉRALDE : C'est d'écouter favorablement tout ce que j'ai à vous dire.

ARGAN : Bien, soit.

BÉRALDE : De ne vous point emporter à votre ordinaire.

ARGAN : Oui, je le ferai.

BÉRALDE : Et de me répondre sans chaleur précisément sur chaque chose.

ARGAN : Hé bien ! oui : voici bien du préambule.

BÉRALDE : Ainsi, mon frère, par quelle raison, dites-moi, voulez-vous marier votre fille à un médecin ?

ARGAN : Par la raison, mon frère, que je suis le maître chez moi, et que je puis disposer à ma volonté de tout ce qui est en ma puissance.

BÉRALDE : Mais encore, pourquoi choisir plutôt un médecin qu'un autre ?

ARGAN : Parce que, dans l'état où je suis, un médecin m'est plus nécessaire que tout autre ; et si ma fille était raisonnable, c'en serait assez pour le lui faire accepter.

BÉRALDE : Par cette même raison, si votre petite Louison était plus grande, vous la donneriez en mariage à un apothicaire.

ARGAN : Eh ! pourquoi non ? Voyez un peu le grand mal qu'il y aurait.

BÉRALDE : En vérité, mon frère, je ne puis souffrir l'entêtement que vous avez des médecins, et que vous vouliez être malade en dépit de vous-même.

ARGAN : Qu'entendez-vous par là, mon frère ?

BÉRALDE : J'entends, mon frère, que je ne vois guère d'hommes qui se portent mieux que vous, et que je ne voudrais pas avoir une meilleure constitution que la vôtre : une grande marque que vous vous portez bien, c'est que toutes les médecines et les lavements qu'on vous a fait prendre n'aient point encore altéré la bonté de votre tempérament ; et un de mes étonnements est que vous ne soyez point crevé à force de remèdes.

ARGAN : Monsieur Purgon dit que c'est ce qui me fait vivre ; et que je mourrais, s'il était seulement deux jours sans prendre soin de moi.

BÉRALDE : Oui, oui, il en prendra tant de soin que, devant qu'il soit peu, vous n'aurez plus besoin de lui.

ARGAN : Mais, mon frère, vous ne croyez donc point à la médecine ?

BÉRALDE : Moi, mon frère ? Nullement, et je ne vois pas que, pour son salut, il soit nécessaire d'y croire.

ARGAN : Quoi ? vous ne croyez pas à une science qui depuis un si long temps est si solidement établie par toute la terre, et respectée de tous les hommes ?

BÉRALDE : Non, vous dis-je, et je ne vois pas même une plus plaisante momerie : rien au monde de plus impertinent qu'un homme qui se veut mêler d'en guérir un autre.

ARGAN : Eh ! pourquoi, mon frère, ne voulez-vous pas qu'un homme en puisse guérir un autre ?

BÉRALDE : Parce que les ressorts de notre machine sont mystères jusques ici inconnus, où les hommes ne voient goutte, et dont l'auteur de toutes choses s'est réservé la connaissance.

ARGAN : Que faut-il donc faire lorsque l'on est malade ?

BÉRALDE : Rien que se tenir de repos, et laisser faire la nature : puisque c'est elle qui est tombée dans le désordre, elle s'en peut aussi bien retirer, et se rétablir elle-même.

ARGAN : Mais encore devez-vous m'avouer qu'on peut aider cette nature.

BÉRALDE : Bien éloigné de cela, on ne fait bien souvent que l'empêcher de faire son effet ; et j'ai connu bien des gens qui sont morts des remèdes qu'on leur a fait prendre, qui se porteraient bien présentement s'ils l'eussent laissé faire.

ARGAN : Vous voulez donc dire, mon frère, que les médecins ne savent rien ?

BÉRALDE : Non, je ne dis pas cela ; la plupart d'entre eux sont de très bons humanistes qui parlent fort bien latin, qui savent nommer en grec toutes les maladies, les définir ; mais pour les guérir, c'est ce qu'ils ne savent pas.

ARGAN : Mais pourquoi donc, mon frère, tous les hommes sont-ils dans la même erreur où vous voulez que je sois ?

BÉRALDE : C'est, mon frère, parce qu'il y a des choses dont l'apparence nous charme et que nous croyons véritables par l'envie que nous avons qu'elles se fassent. La médecine est de celles-là : il n'y a rien de si beau et de si charmant que son objet : par exemple, lorsqu'un médecin vous parle de purifier le sang, de fortifier le cœur, de rafraîchir les entrailles, de rétablir la poitrine, de raccommoder la rate, d'apaiser la trop grande chaleur du foie, de régler, modérer et retirer la chaleur naturelle, il vous dit justement le roman de la médecine, et il en est comme de ces beaux songes qui pendant la nuit nous ont bien divertis et qui ne nous laissent au réveil que le déplaisir de les avoir eus.

ARGAN : Ouais, vous êtes devenu fort habile homme en peu de temps.

BÉRALDE : Dans les discours et dans les choses, ce sont deux sortes de personnes que vos grands médecins : entendez-les parler, ce sont les plus habiles gens du monde ; voyez-les faire, les plus ignorants de tous les hommes ; de telle manière que toute leur science est renfermée en un pompeux galimatias, et un spécieux babil.

ARGAN : Ce sont donc de méchantes gens, d'abuser ainsi de la crédulité et de la bonne foi des hommes.

BÉRALDE : Il y en a entre eux qui sont dans l'erreur aussi bien que les autres, d'autres qui en profitent sans y être. Votre Monsieur Purgon y est plus que personne. C'est un homme tout médecin depuis la tête jusques aux pieds, qui croit plus aux règles de son art qu'à toutes les démonstrations de mathématique, et qui donne à travers les purgations et les saignées sans y rien connaître, et qui, lorsqu'il vous tuera, ne fera dans cette occasion que ce qu'il a fait à sa femme et à ses enfants, et ce qu'en un besoin il ferait à lui-même.

ARGAN : C'est que vous avez une dent de lait contre lui.

BÉRALDE : Quelle raison m'en aurait-il donnée ?

ARGAN : Je voudrais bien, mon frère, qu'il y eût ici quelqu'un de ces messieurs pour vous tenir tête, pour rembarrer un peu tout ce que vous venez de dire, et vous apprendre à les attaquer.

BÉRALDE : Moi, mon frère ? Je ne prétends point les attaquer ; ce que j'en dis n'est qu'entre nous, et que par manière de conversation ; chacun à ses périls et fortunes en peut croire tout ce qu'il lui plaira.

ARGAN : Voyez-vous, mon frère, ne me parlez plus contre ces gens-là : ils me tiennent trop au cœur, vous ne faites que m'échauffer et augmenter mon mal.

BÉRALDE : Soit, je le veux bien ; mais je souhaiterais seulement, pour vous désennuyer, vous mener voir un de ces jours représenter une des comédies de Molière sur ce sujet.

ARGAN : Ce sont de plaisants impertinents que vos comédiens, avec leurs comédies de Molière ; c'est bien à faire à eux à se moquer de la médecine ; ce sont de bons nigauds, et je les trouve bien ridicules de mettre sur leur théâtre de vénérables messieurs comme ces messieurs-là.

BÉRALDE : Que voulez-vous qu'ils y mettent que les diverses professions des hommes ? Nous y voyons bien tous les jours des princes et des rois, qui sont du moins d'aussi bonne maison que les médecins.

ARGAN : Par la mort non d'un diable, je les attraperais bien quand ils seraient malades : ils auraient beau me prier, je prendrais plaisir à les voir souffrir, je ne voudrais pas les soulager en rien, et ne leur ordonnerais pas la moindre petite saignée, le moindre petit lavement ; je me vengerais bien de leur insolence, et leur dirais : « Crevez, crevez, crevez, mes petits messieurs : cela vous apprendra à vous moquer une fois de la Faculté. »

BÉRALDE : Ils ne s'exposent point à de pareilles épreuves, et ils savent très bien se guérir eux-mêmes lorsqu'ils sont malades.

SCÈNE IV

MONSIEUR FLEURANT, ARGAN, BÉRALDE

MONSIEUR FLEURANT, *avec une seringue à la main* : C'est un petit clystère que je vous apporte : prenez vite, Monsieur, prenez vite, il est comme il faut, il est comme il faut.

BÉRALDE : Que voulez-vous faire, mon frère ?

ARGAN : Attendez un moment, cela sera bientôt fait.

BÉRALDE : Je crois que vous vous moquez de moi ; eh ! ne sauriez-vous prendre un autre temps ? Allez, Monsieur, revenez une autre fois.

ARGAN : À ce soir, s'il vous plaît, Monsieur Fleurant.

MONSIEUR FLEURANT : De quoi vous mêlez-vous, Monsieur ? Vous êtes bien plaisant d'empêcher Monsieur de prendre son clystère ; sont-ce là vos affaires ?

BÉRALDE : On voit bien, Monsieur, que vous n'avez pas accoutumé de parler à des visages.

MONSIEUR FLEURANT : Que voulez-vous dire avec vos visages ? Sachez que je ne perds pas ainsi mes pas, et que je viens ici en vertu d'une bonne ordonnance ; et vous, Monsieur, vous vous repentirez du mépris que vous en faites : je vais le dire à Monsieur Purgon, vous verrez, vous verrez.

SCÈNE V

ARGAN, BÉRALDE

ARGAN : Mon frère, vous allez être cause ici de quelque malheur ; et je crains fort que Monsieur Purgon ne se fâche quand il saura que je n'ai pas pris son lavement.

BÉRALDE : Voyez un peu le grand mal de n'avoir pas

pris un lavement que Monsieur Purgon a ordonné ; vous ne vous mettriez pas plus en peine si vous aviez commis un crime considérable. Encore un coup, est-ce possible qu'on ne vous puisse pas guérir de la maladie des médecins, et ne vous verrai-je jamais qu'avec un lavement et une médecine dans le corps ?

ARGAN : Mon Dieu ! mon frère, vous parlez comme un homme qui se porte bien ; si vous étiez en ma place, vous seriez aussi embarrassé que moi.

BÉRALDE : Hé bien ! mon frère, faites ce que vous voudrez ; mais j'en reviens toujours là : votre fille n'est point destinée pour un médecin ; et le parti dont je veux vous parler lui est bien plus convenable.

ARGAN : Il ne l'est pas pour moi, et cela me suffit ; en un mot, elle est promise, et elle n'a qu'à se déterminer à cela, ou à un convent.

BÉRALDE : Votre femme n'est pas des dernières à vous donner ce conseil.

ARGAN : Ah ! j'étais bien étonné si l'on ne me parlait pas de la pauvre femme ; c'est toujours elle qui fait tout, il faut que tout le monde en parle.

BÉRALDE : Ah ! j'ai tort il est vrai : c'est une femme qui a trop d'amitié pour vos enfants, et qui, pour l'amitié qu'elle leur porte, voudrait les voir toutes deux bonnes religieuses.

SCÈNE VI

MONSIEUR PURGON, TOINETTE, ARGAN, BÉRALDE

MONSIEUR PURGON : Qu'est-ce ? on vient de m'apprendre de belles nouvelles. Comment ? refuser un clystère que j'avais pris plaisir moi-même de composer avec grand soin ?

ARGAN : Monsieur Purgon, ce n'est pas moi, c'est mon frère.

MONSIEUR PURGON : Voilà une étrange rébellion d'un malade contre son médecin !

TOINETTE : Cela est vrai.

MONSIEUR PURGON : Le renvoyer avec audace ! c'est une action exorbitante.

TOINETTE : Assurément.

MONSIEUR PURGON : Un attentat énorme contre la médecine.

TOINETTE : Cela est certain.

MONSIEUR PURGON : C'est un crime de lèse-Faculté.

TOINETTE : Vous avez raison.

MONSIEUR PURGON : Je vous aurais dans peu tiré d'affaire et je ne voulais plus que dix médecines et vingt lavements pour vuider le fond du sac.

TOINETTE : Il ne le mérite pas.

MONSIEUR PURGON : Mais puisque vous avez eu l'insolence de mépriser mon clystère,

ARGAN : Eh ! Monsieur Purgon, ce n'est pas ma faute, c'est la sienne.

MONSIEUR PURGON : Que vous vous êtes soustrait de l'obéissance qu'un malade doit à son médecin.

ARGAN : Ce n'est pas moi, vous dis-je.

MONSIEUR PURGON : Je ne veux plus avoir d'alliance avec vous, et voici le don que je faisais de tout mon bien à mon neveu, en faveur du mariage avec votre fille, que je déchire en mille pièces.

TOINETTE : C'est fort bien fait.

ARGAN : Mon frère, vous êtes cause de tout ceci.

MONSIEUR PURGON : Je ne veux plus prendre soin de vous et être davantage votre médecin.

ARGAN : Je vous demande pardon.

MONSIEUR PURGON : Je vous abandonne à votre méchante constitution, à l'intempérie de votre tempérament et à la pétulance de vos humeurs.

ARGAN : Faites-le venir, je le prendrai devant vous.

MONSIEUR PURGON : Je veux que dans peu vous soyez en un état incurable.

ARGAN : Ah ! je suis mort.

MONSIEUR PURGON : Et je vous avertis que vous tomberez dans l'épilepsie.

ARGAN : Monsieur Purgon.

MONSIEUR PURGON : De l'épilepsie dans la phtisie.

ARGAN : Monsieur Purgon.

MONSIEUR PURGON : De la phtisie dans la bradypepsie.

ARGAN : Doucement, Monsieur Purgon.

MONSIEUR PURGON : De la bradypepsie dans la lienterie.

ARGAN : Ah, Monsieur Purgon !

MONSIEUR PURGON : De la lienterie dans la dysenterie.

ARGAN : Mon pauvre Monsieur Purgon !

MONSIEUR PURGON : De la dysenterie dans l'hydropisie.

ARGAN : Monsieur Purgon !

MONSIEUR PURGON : De l'hydropisie dans l'apoplexie.

ARGAN : Monsieur Purgon !

MONSIEUR PURGON : De l'apoplexie dans la privation de la vie, où vous aura conduit votre folie.

SCÈNE VII

ARGAN, BÉRALDE

ARGAN : Ah ! c'en est fait de moi, je suis perdu, je n'en puis revenir ; ah ! je sens déjà que la médecine se venge.

BÉRALDE : Sérieusement, mon frère, vous n'êtes pas raisonnable, et je ne voudrais pas qu'il y eût ici personne qui vous vît faire ces extravagances.

ARGAN : Vous avez beau dire, toutes ces maladies en *ies* me font trembler, et je les ai toutes sur le cœur.

BÉRALDE : Le simple homme que vous êtes ! Comme

si Monsieur Purgon tenait entre ses mains le fil de votre vie, et qu'il pût l'allonger ou l'accourcir comme bon lui semblerait ; détrompez-vous, encore une fois, et sachez qu'il y peut encore moins qu'à vous guérir lorsque vous êtes malade.

ARGAN : Il dit que je deviendrai incurable.

BÉRALDE : Dans le vrai, vous êtes un homme d'une grande prévention ; et lorsque vous vous êtes mis quelque chose dans l'esprit, difficilement peut-on l'en chasser.

ARGAN : Que ferai-je, mon frère, à présent qu'il m'a abandonné, et où trouverai-je un médecin qui me puisse traiter aussi bien que lui ?

BÉRALDE : Mon Dieu ! mon frère, puisque c'est une nécessité pour vous d'avoir un médecin, l'on vous en trouvera un du moins aussi habile, qui n'ira pas si vite, avec qui vous courrez moins de risque, et qui prendra plus de précaution aux remèdes qu'il vous ordonnera.

ARGAN : Ah ! mon frère, il connaissait mon tempérament, et savait mon mal mieux que moi-même.

SCÈNE VIII

TOINETTE, ARGAN, BÉRALDE

TOINETTE : Monsieur, il y a un médecin à la porte qui souhaite parler à vous.

ARGAN : Quel est-il ce médecin ?

TOINETTE : C'est un médecin de la médecine, qui me ressemble comme deux gouttes d'eau ; et si je ne savais que ma mère était honnête femme, je croirais que ce serait quelque petit frère qu'elle m'aurait donné depuis le trépas de mon père.

ARGAN : Dis-lui qu'il prenne la peine d'entrer ; c'est sans doute un médecin qui vient de la part de Monsieur

Purgon, pour nous bien remettre ensemble ; il faut voir ce que c'est, et ne pas laisser échapper une si belle occasion de me raccommoder avec lui.

SCÈNE IX

TOINETTE, *en habit de médecin*, ARGAN, BÉRALDE

TOINETTE *médecin* : Monsieur, quoique je n'aie pas l'honneur d'être connu de vous, ayant appris que vous êtes malade je viens vous offrir mon service pour toutes les purgations et les saignées dont vous aurez besoin.

ARGAN : Ma foi ! mon frère, c'est Toinette elle-même.

TOINETTE *médecin* : Monsieur, je vous demande pardon, j'ai une petite affaire en ville, permettez-moi d'y envoyer mon valet, que j'ai laissé à votre porte, dire que l'on m'attende. *(Elle sort.)*

ARGAN : Je crois sûrement que c'est elle : qu'en croyez-vous ?

BÉRALDE : Pourquoi voulez-vous cela ? Sont-ce les premiers qui ont quelque ressemblance ? et ne voyons-nous pas souvent arriver de ces sortes de choses ?

TOINETTE *quitte son habit de médecin si promptement, pour paraître devant son maître à son ordinaire, qu'il est difficile de croire que ce soit elle qui a paru en médecin* : Que voulez-vous, Monsieur ?

ARGAN : Quoi ?

TOINETTE : Ne m'avez-vous pas appelée ?

ARGAN : Moi ? Tu te trompes.

TOINETTE : Il faut donc que les oreilles m'aient corné.

ARGAN : Demeure, demeure pour ce médecin qui te ressemble si fort.

TOINETTE : Ah ! vraiment oui ; je l'ai assez vu.

Elle sort et va reprendre l'habit de médecin.

ARGAN : Ma foi ! mon frère, cela est admirable, et je ne le croirais pas, si je ne les voyais tous deux ensemble.

BÉRALDE : Cela n'est point si surprenant, notre siècle nous en fournit plusieurs exemples, et vous devez, ce me semble, vous souvenir de quelques-uns qui ont fait tant de bruit dans le monde.

TOINETTE *médecin* : Monsieur, excusez-moi, s'il vous plaît.

ARGAN : Je ne puis sortir de mon étonnement, et il semble que c'est elle-même.

TOINETTE *médecin* : Je suis un médecin passager, courant de villes en villes, et de royaumes en royaumes, pour chercher d'illustres malades, et pour trouver d'amples matières à ma capacité. Je ne suis pas de ces médecins d'ordinaire, qui ne s'amusent qu'à des bagatelles de fiévrottes, de rhumatismes, de migraines, et autres maladies de peu de conséquence : je veux de bonnes fièvres continues, avec des transports au cerveau, de bonnes oppressions de poitrine, de bons maux de côté, de bonnes fièvres pourprées, de bonnes véroles, de bonnes pestes : c'est là où je me plais, c'est là où je triomphe, et je voudrais, Monsieur, que vous eussiez toutes ces maladies ensemble, que vous fussiez abandonné de tous les médecins, et à l'agonie, pour vous montrer la longue et grande expérience que j'ai dans notre art, et la passion que j'ai de vous rendre service.

ARGAN : Je vous suis trop obligé, Monsieur ; cela n'est point nécessaire.

TOINETTE *médecin* : Je vois que vous me regardez fixement : quel âge croyez-vous bien que j'aie ?

ARGAN : Je ne le puis savoir au juste ; pourtant vous avez bien vingt-sept ou vingt-huit ans au plus.

TOINETTE *médecin* : Bon, j'en ai quatre-vingt-dix.

ARGAN : Quatre-vingt-dix ? Voilà un beau jeune vieillard.

TOINETTE *médecin* : Oui, quatre-vingt-dix ans, et j'ai su me maintenir toujours frais et jeune, comme vous voyez, par la vertu et la bonté de mes remèdes. Donnez-moi votre pouls. Allons donc, voilà un pouls bien impertinent : ah ! je vois bien que vous ne me connaissez pas encore ; je vous ferai bien aller comme il faut. Qui est votre médecin ?

ARGAN : Monsieur Purgon.

TOINETTE *médecin* : Monsieur Purgon ! Ce nom ne m'est point connu, et n'est point écrit sur mes tablettes dans le rang des grands et fameux médecins qui y sont : quittez-moi cet homme, ce n'est point du tout votre affaire ; il faut que ce soit peu de chose ; je veux vous en donner un de ma main.

ARGAN : On le tient pourtant en grande réputation.

TOINETTE *médecin* : De quoi dit-il que vous êtes malade ?

ARGAN : Il dit que c'est de la rate ; d'autres disent que c'est du foie.

TOINETTE *médecin* : L'ignorant ! c'est du poumon que vous êtes malade.

ARGAN : Du poumon ?

TOINETTE *médecin* : Oui, du poumon : n'avez-vous pas grand appétit à ce que vous mangez ?

ARGAN : Eh ! oui.

TOINETTE *médecin* : C'est justement le poumon. Ne trouvez-vous pas le vin bon ?

ARGAN : Oui.

TOINETTE *médecin* : Le poumon. Ne rêvez-vous point la nuit ?

ARGAN : Oui, oui, même assez souvent.

TOINETTE *médecin* : Le poumon. Ne faites-vous point un petit sommeil après le repas ?

ARGAN : Ah ! oui, tous les jours.

TOINETTE *médecin* : Le poumon, le poumon, vous dis-je.

ARGAN : Ah ! mon frère, le poumon.

TOINETTE *médecin* : Que vous ordonne-t-il de manger ?

ARGAN : Du potage.

TOINETTE *médecin* : L'ignorant !

ARGAN : De prendre force bouillons.

TOINETTE *médecin* : L'ignorant !

ARGAN : Du bouilli.

TOINETTE *médecin* : L'ignorant !

ARGAN : Du veau, et des poulets.

TOINETTE *médecin* : L'ignorant !

ARGAN : Et le soir, de petits pruneaux pour lâcher le ventre.

TOINETTE *médecin* : *Ignorantus, ignoranta, ignorantum.* Et moi, je vous ordonne de bon gros pain bis, de bon gros bœuf, de bons gros pois, de bon fromage d'Hollande ; et afin que vous ne crachiez plus, des marrons et des oublies, pour coller et conglutiner.

ARGAN : Mais voyez un peu, mon frère, quelle ordonnance.

TOINETTE *médecin* : Croyez-moi, exécutez-la, vous vous en trouverez bien. À propos, je m'aperçois ici d'une chose : dites-moi, Monsieur, que faites-vous de ce bras-là ?

ARGAN : Ce que j'en fais ? la belle demande !

TOINETTE *médecin* : Si vous me croyez, vous le ferez couper tout à l'heure.

ARGAN : Et la raison ?

TOINETTE *médecin* : Ne voyez-vous pas qu'il attire à lui toute la nourriture, et qu'il empêche l'autre côté de profiter ?

ARGAN : Eh ! je ne me soucie pas de cela, j'aime bien mieux les avoir tous deux.

TOINETTE *médecin* : Si j'étais aussi en votre place, je me ferais crever cet œil-ci tout à l'heure.

ARGAN : Et pourquoi le faire crever ?

TOINETTE *médecin* : N'en verrez-vous pas une fois plus clair de l'autre ? Faites-le, vous dis-je, et tout à présent.

ARGAN : Je suis votre serviteur, j'aime beaucoup mieux ne voir pas si clair de l'un, et n'en avoir point de manque.

TOINETTE *médecin* : Excusez-moi, Monsieur, je suis obligé de vous quitter si tôt ; je vous verrai quelquefois pendant le séjour que je ferai en cette ville ; mais je suis obligé de me trouver aujourd'hui à une consultation qui se doit faire pour un malade qui mourut hier.

ARGAN : Pourquoi une consultation pour un malade qui mourut hier ?

TOINETTE *médecin* : Pour aviser aux remèdes qu'il eût fallu lui faire pour le guérir, et s'en servir dans une semblable occasion.

ARGAN : Monsieur, je ne vous reconduis point, vous savez que les malades en sont exempts.

BÉRALDE : Hé bien ! mon frère, que dites-vous de ce médecin ?

ARGAN : Comment diable ? Il me semble qu'il va bien vite en besogne.

BÉRALDE : Comme font tous ces grands médecins, et il ne le serait pas s'il faisait autrement.

ARGAN : Couper un bras, crever un œil : voyez quelle plaisante opération, de me faire borgne et manchot.

TOINETTE, *rentrant après avoir quitté l'habit de médecin* : Doucement, doucement, Monsieur le médecin : modérez, s'il vous plaît, votre appétit.

ARGAN : Qu'as-tu donc, Toinette ?

TOINETTE : Vraiment votre médecin veut rire, ma foi ! il a voulu mettre sa main sur mon sein en sortant.

ARGAN : Cela est étonnant à son âge ; qui pourrait croire cela, qu'à quatre-vingt-dix ans l'on fût encore si gaillard ?

BÉRALDE : Enfin mon frère, puisque vous avez rompu avec Monsieur Purgon, qu'il n'y a plus d'espérance d'y pouvoir renouer, et qu'il a déchiré les articles d'entre son neveu et votre fille, rien ne vous peut plus empêcher d'ac-

cepter le parti que je vous propose pour ma nièce : c'est
un…

ARGAN : Je vous prie, mon frère, ne parlons point de
cela : je sais bien ce que j'ai à faire, et je la mettrai, dès
demain, dans un convent.

BÉRALDE : Vous voulez faire plaisir à quelqu'un.

ARGAN : Ô çà ! voilà encore la pauvre femme en jeu.

BÉRALDE : Hé bien ! oui, mon frère, c'est d'elle dont je
veux parler ; et non plus que l'entêtement des médecins,
je ne puis supporter celui que vous avez pour elle.

ARGAN : Vous ne la connaissez pas, mon frère ; c'est
une femme qui a trop d'amitié pour moi : demandez-lui
les caresses qu'elle me fait ; à moins que de les voir, on
ne le croirait pas.

TOINETTE : Monsieur a raison, et on ne peut pas concevoir l'amitié qu'elle a pour lui. Voulez-vous que je vous
fasse voir comme Madame aime Monsieur ?

BÉRALDE : Comment ?

TOINETTE : Eh ! Monsieur, laissez-moi faire, souffrez
que je le détrompe, et que je lui fasse voir son bec jaune.

ARGAN : Que faut-il faire pour cela ?

TOINETTE : J'entends Madame qui revient de ville :
vous, Monsieur, cachez-vous dans ce petit endroit, et
prenez garde surtout que l'on ne vous voie. Approchons
votre chaise : mettez-vous dedans tout de votre long, et
contrefaites le mort. Vous verrez, par le regret qu'elle
témoignera de votre perte, l'amitié qu'elle vous porte.
La voici.

ARGAN : Oui, oui, oui, oui ; bon, bon, bon, bon.

SCÈNE X

BÉLINE, TOINETTE, ARGAN, *contrefaisant le mort,*
BÉRALDE, *caché dans un coin du théâtre.*

TOINETTE, *feignant d'être fort attristée, s'écrie* : Ah,
Ciel ! quelle cruelle aventure ! quel malheur imprévu vient
de m'arriver ! Que ferai-je, malheureuse ? et comment
annoncer à Madame de si méchantes nouvelles ? Ah ! ah !

BÉLINE : Qu'as-tu, Toinette ?

TOINETTE : Ah ! Madame, quelle perte venez-vous de
faire ? Monsieur vient de mourir tout à l'heure subite-
ment ; j'étais seule ici, et il n'y avait personne pour le
secourir.

BÉLINE : Quoi ? Mon mari est mort ?

TOINETTE : Hélas ! oui, le pauvre homme défunt est
trépassé.

BÉLINE : Le Ciel en soit loué ! me voilà délivrée d'un
grand fardeau ! que tu es folle, Toinette, de pleurer !

TOINETTE : Moi, Madame ? et je croyais qu'il fallût
pleurer.

BÉLINE : Bon, et je voudrais bien savoir pour quelle
raison ai-je fait une si grande perte. Quoi ? pleurer un
homme mal bâti, mal fait, sans esprit, de mauvaise
humeur, fort âgé, toujours toussant, mouchant, crachant,
reniflant, fâcheux, ennuyeux, incommode à tout le monde,
grondant sans cesse et sans raison, toujours un lavement
ou une médecine dans le corps, de méchante odeur : il
faudrait que je n'eusse pas le sens commun.

TOINETTE : Voilà une belle oraison funèbre.

BÉLINE : Je ne prétends pas avoir passé la plus grande
partie de ma jeunesse avec lui sans y profiter de quelque
chose ; et il faut, Toinette, que tu m'aides à bien faire mes
affaires sûrement : ta récompense est sûre.

TOINETTE : Ah ! Madame, je n'ai garde de manquer à mon devoir.

BÉLINE : Puisque tu m'assures que sa mort n'est sue de personne, saisissons-nous de l'argent, et de tout ce qu'il y a de meilleur ; portons-le dans son lit, et quand j'aurai tout mis à couvert, nous ferons en sorte que quelque autre l'y trouve mort, et ainsi on ne se doutera point de ce que nous aurons fait. Il faut d'abord que je lui prenne ses clefs, qui sont dans cette poche.

ARGAN *se lève tout à coup* : Tout beau, tout beau, Madame la carogne : ah, ah, je suis ravi d'avoir entendu le bel éloge que vous avez fait de moi : cela m'empêchera de faire bien des choses.

TOINETTE : Quoi ? le défunt n'est pas mort ?

BÉRALDE : Hé bien ! mon frère, voyez-vous à présent comme votre femme vous aime ?

ARGAN : Ah ! vraiment oui, je le vois, je ne le vois que trop.

TOINETTE : Je vous jure que j'ai bien été trompée, et je n'eusse jamais cru cela. Mais j'aperçois votre fille : retournez-vous-en où vous étiez, et vous remettez dans votre chaise : il est bon aussi de l'éprouver, et ainsi vous connaîtrez les sentiments de toute votre famille.

ARGAN : Tu as raison, tu as raison.

SCÈNE XI

ANGÉLIQUE, TOINETTE, ARGAN, BÉRALDE

TOINETTE *s'écrie encore* : Ah ! quel étrange accident ! mon pauvre maître est mort : que de larmes, que de pleurs il nous va coûter ! quel désastre ! S'il était encore mort d'une autre manière, on n'en aurait pas tant de regret. Ah ! que j'en ai de déplaisir, ha, ha, ha.

ANGÉLIQUE : Qu'y a-t-il de nouveau, Toinette, pour te causer tant de gémissements ?

TOINETTE : Hélas, votre père est mort.

ANGÉLIQUE : Mon père est mort, Toinette ?

TOINETTE : Ah ! il ne l'est que trop, et il vient d'expirer entre mes bras d'une faiblesse qui lui a pris. Tenez, voyez-le, le voilà tout étendu dans sa chaise. Ha, ha.

ANGÉLIQUE : Mon père est mort, et justement dans le temps où il était en colère contre moi, par la résistance que je lui ai faite tantôt en refusant le mari qu'il me voulait donner. Que deviendrai-je, misérable que je suis ? et comment cacher une chose qui a paru devant tant de personnes ?

SCÈNE DERNIÈRE

CLÉANTE, ANGÉLIQUE, TOINETTE,
ARGAN, BÉRALDE

CLÉANTE : Juste Ciel ! que vois-je ? dites, qu'avez-vous, belle Angélique ?

ANGÉLIQUE : Ah ! Cléante, ne me parlez plus de rien. Mon père est mort ; il faut vous dire adieu pour toujours, et nous séparer entièrement l'un de l'autre.

CLÉANTE : Quelle infortune, grand Dieu ! Hélas ! après la demande que j'avais prié votre oncle de lui faire de vous, je venais moi-même me jeter à ses pieds, pour faire un dernier effort afin de vous obtenir.

ANGÉLIQUE : Le Ciel ne l'a pas voulu ; vous devez comme moi vous soumettre à ce qu'il veut, et il faut vous résoudre de me quitter pour toujours. Oui, mon père, puisque j'ai été assez infortunée pour ne pas faire ce que vous vouliez de moi pendant votre vie, du moins ai-je dessein de le réparer après votre mort : je veux exécuter

votre dernière volonté, et je vais me retirer dans un couvent, pour y pleurer votre mort pendant tout le reste de
ma vie ; oui, mon cher père, souffrez que je vous en donne
ici les dernières assurances, et que je vous embrasse…

ARGAN *se lève* : Ah ! ma fille…

ANGÉLIQUE : Ha, ha, ha, ha.

ARGAN : Viens, ma chère enfant, que je te baise ; va, je
ne suis pas mort ; je vois que tu es ma fille, et je suis bien
aise de reconnaître ton bon naturel.

ANGÉLIQUE : Mon père, permettez que je me mette à
genoux devant vous, pour vous conjurer que, si vous ne
me voulez pas faire la grâce de me donner Cléante pour
époux, vous ne me refusiez pas celle de ne m'en pas donner un avec lequel je ne puisse vivre.

CLÉANTE : Eh ! Monsieur, serez-vous insensible à tant
d'amour ? et ne peut-on pas vous attendrir par aucun
endroit ?

BÉRALDE : Mon frère, avez-vous à consulter, et ne
devriez-vous pas déjà l'avoir donnée aux vœux de Monsieur ?

TOINETTE : Comment ? vous résisterez à de si grandes
marques de tendresse ? Là, Monsieur, rendez-vous.

ARGAN : Hé bien ! qu'il se fasse médecin, et je lui donne
ma fille.

CLÉANTE : Oui-da, Monsieur, je le veux bien ; apothicaire même, si vous voulez ; je ferais encore des choses
bien plus difficiles pour avoir la belle Angélique.

BÉRALDE : Mais, mon frère, il me vient une pensée :
faites-vous médecin vous-même plutôt que Monsieur.

ARGAN : Moi, médecin ?

BÉRALDE : Oui, vous : c'est le véritable moyen de vous
bien porter ; et il n'y a aucune maladie, si redoutable
qu'elle soit, qui ait l'audace de s'attaquer à un médecin.

TOINETTE : Tenez, Monsieur, votre barbe y peut beaucoup et la barbe fait plus de la moitié d'un médecin.

ARGAN : Vous vous moquez, je crois ; et je ne sais pas un seul mot de latin : comment donc faire ?

BÉRALDE : Voilà une belle raison ! Allez, allez, il y en a parmi eux qui en savent encore moins que vous, et lorsque vous aurez la robe et le bonnet, vous en saurez plus qu'il ne vous en faut.

CLÉANTE : En tout cas, me voilà prêt à faire ce que l'on voudra.

ARGAN : Mais, mon frère, cela ne se peut faire sitôt.

BÉRALDE : Tout à présent, si vous voulez ; et j'ai une Faculté de mes amis fort près d'ici, que j'enverrai quérir pour célébrer la cérémonie. Allez vous préparer seulement : toutes choses seront bientôt prêtes.

ARGAN : Allons, voyons, voyons.

CLÉANTE : Quel est donc votre dessein ? et que voulez-vous dire avec cette Faculté de vos amis ?

BÉRALDE : C'est un intermède de la réception d'un médecin que des comédiens ont représenté ces jours passés : je les avais fait venir pour le jouer ce soir ici devant nous, afin de nous bien divertir ; et je prétends que mon frère y joue le premier personnage.

ANGÉLIQUE : Mais, mon oncle, il me semble que c'est se railler un peu fortement de mon père.

BÉRALDE : Ce n'est pas tant se railler que s'accommoder à son humeur, outre que pour lui ôter tout sujet de se fâcher quand il aura reconnu la pièce que nous lui jouons, nous pouvons y prendre chacun un rôle, et jouer en même temps que lui. Allons donc nous habiller.

CLÉANTE : Y consentez-vous ?

ANGÉLIQUE : Il le faut bien.

BIBLIOGRAPHIE

Éditions de référence

Œuvres complètes, édition de Georges Couton, Gallimard, Bibliothèque de la Pléiade, 1971, revue en 1976, 2 vol.
Œuvres complètes, nouvelle édition de Georges Forestier, avec Claude Bourqui, Gallimard, Bibliothèque de la Pléiade, 2010, 2 vol.

Quelques études concernant l'œuvre de Molière

BRAY René, *Molière homme de théâtre*, Mercure de France, 1954.
COLLINET Jean-Pierre, *Lectures de Molière*, Armand Colin, coll. « U2 », 1974.
CONESA Gabriel, *Le Dialogue moliéresque, étude stylistique et dramaturgique* (1983), rééd. Sedes-Cdu, 1992.
—, *La Comédie de l'âge classique, 1630-1715*, Le Seuil, coll. « Écrivains de toujours », 1995.
COPEAU Jacques, *Registres II, Molière*, Gallimard, 1976.
DANDREY Patrick, *Molière ou l'esthétique du ridicule*, Klincksieck, coll. « Bibliothèque d'histoire du théâtre », 1992.

DEFAUX Gérard, *Molière ou les métamorphoses du comique*, 2ᵉ éd., Klincksieck, coll. « Bibliothèque d'histoire du théâtre », 1992.

FORESTIER Georges, *Molière*, Bordas, coll. « En toutes lettres », 1990.

MCKENNA Antony, *Molière dramaturge libertin*, Champion, 2005.

TRUCHET Jacques et autres, *Thématiques de Molière*, Sedes, 1985.

Études sur la maladie et la médecine chez Molière.

DANDREY Patrick, *Le Cas Argan : Molière et la maladie imaginaire*, Klincksieck, 1993.

—, *La Médecine et la maladie dans le théâtre de Molière*, Klincksieck, 1998, 2 vol.

RAYNAUD Maurice, *Les Médecins au temps de Molière*, Didier, 1862.

RÉSUMÉ

PROLOGUE

Bergers et Bergères, poètes officiels de Louis XIV, se changent en comédiens après avoir chanté leurs amours.

ACTE I

Argan fait les comptes du mois : il calcule et enregistre ses innombrables dépenses en frais médicaux. Se sentant soudain fort seul, il appelle sa servante Toinette (scène 1). Cette dernière, qui ne croit pas aux bienfaits des remèdes prescrits, ne lui apporte pas grand réconfort. Argan demande sa fille Angélique (scène 2). Pris d'un besoin pressant, il sort quelques instants. Angélique se confie à Toinette au sujet du jeune homme qu'elle aime et qui désire l'épouser (scène 4). De retour, Argan apprend à sa fille qu'on est venu la demander en mariage. Persuadée qu'il s'agit de son soupirant Cléante, Angélique dit vouloir obéir aux volontés de son père. Elle apprend bientôt qu'il s'agit en réalité d'un certain Thomas Diafoirus, neveu du médecin d'Argan et futur médecin lui-même. Toinette prend la défense d'Angélique, mais Argan semble déterminé : soit elle épouse ce médecin, soit il l'enferme dans un couvent (scène 5). Alertée par le bruit de leur querelle, Béline, la seconde femme d'Argan, tente de calmer son mari avec force mots tendres. Quand Argan lui parle d'établir un testament en sa faveur, elle proclame sa douleur à l'idée de le voir mourir, mais fait entrer le notaire qu'elle a déjà appelé (scène 6). Argan charge Monsieur de Bonnefoy de trouver une solution afin que sa seconde femme puisse recevoir l'héritage que la loi réserve à ses deux filles. Pour commencer, Argan donne à Béline l'argent liquide et les billets au porteur qu'il gardait cachés (scène 7). Angélique, loin de se soucier des manigances de sa belle-mère, conjure Toinette de faire prévenir Cléante du mariage décidé par son père. L'amant de Toinette, Polichinelle, s'en chargera (scène 8). — *Premier intermède* : la sérénade nocturne de Polichinelle à Toinette.

ACTE II

Le lendemain, Cléante s'introduit chez Argan en se faisant passer pour un ami du maître de musique, venu le remplacer pour donner sa leçon à Angélique (scène 1). Toinette, dans la confiance, tente en vain de leur ménager une leçon en privé : Argan souhaite y assister (scène 2). Angélique manque défaillir en reconnaissant Cléante (scène 3). Les Diafoirus père et fils se présentent pour la déclaration officielle. Cléante, qui feint de vouloir se retirer, est prié par Argan de rester (scène 4). Thomas Diafoirus récite les répliques qu'il a apprises par cœur, tandis que son père loue son courage et sa valeur. La leçon de musique peut commencer. À mots couverts, Cléante déclare son amour à Angélique ; sous les traits d'un Berger et d'une Bergère, ils se répondent l'un à l'autre en chantant. Mais Argan, pris de doutes, interrompt la leçon (scène 5). Arrive Béline. Thomas Diafoirus se trompe dans sa réplique. Angélique, réticente au mariage, cherche à gagner du temps. Devant la fermeté de son père, elle le conjure au moins de ne pas la forcer à épouser un homme qu'elle n'aime pas. Béline, voyant le père et la fille en querelle, tente de provoquer Angélique. Mais cette dernière préfère se retirer. Argan demande aux Diafoirus de l'examiner avant de prendre congé (scène 6). Quelques instants plus tard, Béline vient avertir Argan qu'elle a surpris un jeune homme chez Angélique, en présence il est vrai de Louison, sœur d'Angélique (scène 7). Argan fait appeler Louison et lui demande les détails de cette entrevue secrète, allant jusqu'à la fouetter pour la faire parler. Louison raconte ce qu'elle sait (scène 8). Béralde vient s'entretenir avec son frère Argan d'un parti pour Angélique. Le voyant de fort mauvaise humeur, il lui propose un divertissement (scène 9). — *Deuxième intermède* : ballet d'Égyptiens chantant la jeunesse et l'amour.

ACTE III

Avant le retour d'Argan, de nouveau sorti pour un besoin pressant, Béralde et Toinette se promettent de tout faire pour empêcher le mariage. Toinette se propose de jouer un tour à son maître (scène 2). De retour, Argan propose à son frère de reprendre calmement leur conversation concernant Angélique. La question du mariage dérive bientôt vers celle des médecins et de la médecine. Pour Béralde, les médecins, si habiles en paroles, n'entendent rien à la maladie et se révèlent incapables dès qu'il s'agit de guérir. Argan doit choisir un mari pour sa fille, et non un gendre pour lui-même (scène 3). L'apothicaire Monsieur Fleurant arrive pour le lavement d'Argan, mais se voit congédié par Béralde (scène 4). Monsieur Purgon, le médecin d'Argan, furieux que son patient désobéisse à ses prescriptions, surgit et, d'invectives en invectives, finit par souhaiter à son malade les pires maladies, avant de se retirer définitivement (scène 5). Argan, abandonné de son médecin, est au désespoir (scène 6). Se présente alors un nouveau médecin, qui n'est autre que Toinette déguisée. Elle parvient à détourner les doutes d'Argan à propos de son déguisement (scènes 8 et 9). Le nouveau médecin ausculte Argan et lui fait forte impression (scène 10). Après son départ, la conversation entre les deux frères reprend, mais Argan reste obstiné. Béralde oriente alors la question sur Béline. Toinette suggère à son maître de faire le mort pour connaître les sentiments réels de sa femme à son égard. Béralde se cache (scène 11). Quand Béline apprend de Toinette éplorée la mort de son mari, elle s'en félicite et dit tout le mal qu'elle pense du mort, dont elle est enfin débarrassée. Elle propose immédiatement à Toinette de l'aider à détourner au plus vite l'héritage. Argan se lève brusquement : Béline, démasquée, s'enfuit (scène 12). La même scène est rejouée pour Angélique (scène 13). Profondément bouleversée, Angélique désire respecter les dernières volontés de son père et entrer au couvent. Épouvantée lorsque son père se relève, elle lui demande comme seule grâce de ne pas la forcer à épouser un homme qu'elle n'aime pas. Cléante, à genoux, implore Argan d'accepter leur amour. Une seule condition est posée : que Cléante se fasse médecin... Béralde parvient à convaincre son frère de se faire médecin lui-même. Il célébrera le jour même la cérémonie de réception. — *Troisième intermède* : Argan, qui croit cette cérémonie sérieuse, jure en latin être digne du bonnet.